「わかる」でなく「できる」になる

話力《わりょく》1日10分集中講義

日本話し方協会

毎日新聞出版

プロローグ

話力1日10分集中講義。

これからあなたはこの本をめくるたびに話力のテクニックを知り、話力のコツを覚え、日常生活が練習の場となるでしょう。

言葉の選び方や話す順序、伝える側の表現力ひとつで相手の受け取り方は大きく違います。特に仕事上では言葉の力がより重要味を帯びてきます。まさに日本は阿吽の呼吸、以心伝心と言った言語化しなくても察してよという考えがありますが、リモート時代には通用しなくなりました。

いよいよ自分の意見を最後まで伝える話す力が、仕事に求められるスキルになってきます。

実は、話す力「話力」とは、各自が生まれながらに備わった能力でなく、学んで練習すると上手くなる人間スキルです。日本語が話せることと話力は違い、どうやったら目の前の相手に伝わるか一旦考える、つまり相手に寄り添って言葉を選び、話を運ぶことが話力です。話力は、一つの自己表現であり、相手に対する思いやりスキルとも言えるのではないでしょうか。

本書は他の類書にない「わかるだけでなく、できる」を目指す実践型として誕生しました。

毎日の生活をより豊かにするために、対人関係を円滑にするために話力はあなたにとって大きな味方になってくれることでしょう。本書のページをめくるたびにレベルは少しずつ高くなってきます。

今の時点でのあなたの話力どれくらいありますか？

さあ、1日10分！　話力について向き合ってみませんか？

少しの変化が積み重なって、気がつけば上手くなっていた！　そんな未来を描きながら、話力集中講義が始まります。

話力1日10分集中講義　目次

第２章

今すぐ習得すべきコミュニケーション術

第3章

一目置かれる人になる際立つ話力

第4章

自己表現力は、あなたの人生を豊かにする

第5章

伝え方の極意

第6章

とっておきの声は、最強のスキル

第7章

論理的な思考ができるスピーチライティング

第8章

究極の技で、話力の専門家へ

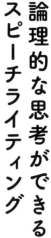

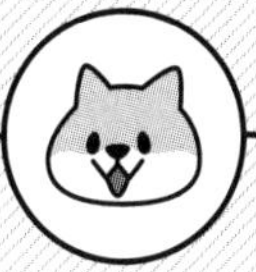

第 1 章

あなたの個性を際立たせる演出は「声」にある

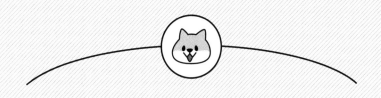

COMMUNICATION

自分の魅力を高めたいなら、まず声を磨こう

声は極められる。

この言葉を聞いたとき、あなたはどう感じますか?「なるほど、その通りだ」と思うのか、「どういうことかわからない」と思うのか。本書を手にしたばかりの方なら、後者かもしれません。本書では、人とコミュニケーションをとる場面を想定して、仕事に必要な話し方『話力』について記述します。

そして、話力の第一歩を踏み出すあなた。まずは、意思や情報を伝える「声」について学びましょう。

「声」はズバリ呼吸と喉からできています。詳しくは、吸った息を吐きながら喉を通って声帯を使い、音へと変化させることで、「声」として認識できます。

「声」には、人それぞれの個性があります。高い声、低い声、太い声、細い声、地鳴りのような声、蚊の鳴くような声など目に見えないのに、様々な形容詞が付くほど声には

いろいろな個性があります。例えば、蚊の鳴くような声の方は「気の弱そうな印象」、地鳴りのような声の方には「気性の激しい印象」のように勝手に、受け取る側の方のイメージで、人となりを判断されることは多々あります。鈴の音のように耳に優しい聞き取りやすい声の方には、「好印象」などというように、人は、聴覚からの情報として、「声」の印象も瞬時に、その方の「人となり」の判断材料にしていることがあるのです。

つまり、「声」はあなたの個性を際立たせる演出もしてくれるのです。対人関係のコミュニケーションの第一歩として、第一声に自信をもって相手に届けることができると、対人との関係性もよりよく変化します。

このように、コミュニケーションにおいて、声から発する影響は大きいことがわかります。言うなれば「声を極める」ということは、「より自身の魅力を高めていく」ことに繋がっていくのです。

CHECK

声を磨くことは内面磨きにも通じ、よりあなたの魅力がグッと高まります。

COMMUNICATION

際立つ声作りの鍵は、実は発声方法にあった

私たちの身体の一部である声。

ここまでで、声の重要性は理解できたでしょうか。

ここからは、声を磨くために自分自身の発声方法を振り返り、発声の仕方を今一度確認してみましょう。

確認する方法として、以下に取り組んでみてください。

①足を肩幅に開き、まっすぐに立ちます。

②次に、おへそから握りこぶし1個分下に手を当てます。

③思いっきり声に出して、「よーい、ドンッ」と言います。

④この「ドンッ」のときに、お腹はどのように動いていますか？

お腹が凹んだ方は、腹式呼吸での発声ができやすい状態であると考えます。お腹が膨らむ、もしくは、動かなかった方は、肩式や胸式呼吸での発声法になっていると考えます。

このように、まず自分自身の呼吸法からの発声法を確認してください（呼吸法＝発声法と捉えてください）。この発声方法が、後々まで重要となるので、しっかりと意識をして、自分自身の声磨きの一歩として学んでいきましょう。

声を磨いていくポイントとして、まず、「身体全体が楽器となる」と捉えてみましょう。つまり、自分自身を一つの楽器だと、イメージしてください。まさに身体全体を使って声を出していくイメージです。そのためにも、腹筋や、背筋などを鍛えて、全身を使って発声することで、身体の声となり、表現力、説得力が格段に上がるのです。

そして、声を磨いていくことはスポーツと同じ。スポーツは知識を得て身体で覚える練習が大切です。声は生まれながらの声質はありますが、磨くことは可能です。その核となるものが発声方法です。一生ものの財産となるあなたの身体の一部である声。あなたと他人を繋ぐ声。これを磨かない手はありません。人と繋がるパイプをピカピカに磨いて、今日から対人関係をより豊かにしていきましょう。

ここからは、声を出すための呼吸法、発音、イントネーションについてお伝えします。

CHECK

対人関係をより豊かにするために、体の中心である腹筋や背筋を鍛えて腹式呼吸の活用であなたの声を磨きましょう。

COMMUNICATION

ゆったりと吐く息に言葉をのせてみよう

声を出すときには、息を吐きながら、声帯を使い、発声しています。この時、吐く息をたくさん出すことができるよう息が安定すると、そこにゆったりと言葉をのせて相手に伝えることができます。逆に、吐く息が少ししか出せないときには、息が不安定になり、ゆったりと言葉をのせることは難しいのです。つまり、吐く息に言葉をゆったりとのせることができると、単語や一文章が途切れないので、相手にも言葉の意味や言いたいことなどが聞き取りやすくなるという現象が、起こるのです。

まさに、「息の量」と「言葉の伝わり方」は、正比例と言えます。

さて、ここからは、相手に、聞き取りやすい声・的確な言葉を届けるようにイメージしながら呼吸の解説をします。

呼吸の仕方には3通りあります。胸式呼吸・腹式呼吸・肩式呼吸です。それではこの3通りの呼吸法の説明をしましょう。

3通りの呼吸法で、一番話すことに適している呼吸法は、腹式呼吸です。腹式呼吸ができると、吐く息の量がコントロールでき、ゆったりと吐く息に言葉をのせることができている自分に気付きます。

つまり、喉に力を入れることなく長いセリフやロングトーン、大きな声などが出しやすく、蛇口の調節を自分でしているイメージです。それができない状態のときは、蛇口が常に全開の状態であるイメージです。

では、「腹式呼吸をする」とは、どういう状態でしょうか？　答えは簡単です。「鼻の穴を大きく開けて、あくびをするときのイメージ」をするのです。そうすることにより、口の中も、平べったくならずに、広く開いている状態がつくれます。この状態がより良い状態です。

鼻と口から吸った息は、気管支から肺を巡り、声帯を波打たせて（振動）声をつくります。

しゃべるときも、歌うときも、鼻息と口からの息の、両方の息が流れていることが、大切です。

それにより、響きのある良い声ができるのです。

CHECK

腹式呼吸ができると、吐く息の量がコントロールでき、ゆったりと吐く息に言葉をのせることができます。すると、落ち着いて相手に伝えることができるようになるのです。

COMMUNICATION

伝わり方が変わる声のテクニック

さて、ここでは「この最強の腹式呼吸法を手に入れるだけでいいのか?」、他にも大切なことがあるのではないか、一緒に考えていきましょう。

まずゆったりとした息を出すときの口の開け方を意識してください。

この時、口の開け方はどのような状態でしょうか? しっかりと口を大きく開けると、はっきりとした声が聞こえてきます。かたや、口が開いていないと、こもったような聞き取りにくい声になります。

このように、口の開け方がしっかりとできていると、相手は聞き取りやすく、聞き返すことも少なくなり、ストレスも与えません。つまり、対人への伝達は口の開け方がカギを握っているのです。加えて、大切な場面で口が動きづらくなったり、声が裏返ったり、喉が痛くなる対処法として、発音の仕方を見直してみることは非常に重要です。

では、正しい発音の仕方とはどうしたらよいのでしょうか？
母音によって、口の形を変えると、喉に負担がかかりやすくなります。
よって声を出すときは、鼻息が流れ、口の中が広く開いていることが大切です。

そのために、まず、「お」の口の形を基本にします。
「お」の母音は、口の中に大きな空間をつくるイメージです。

「お」のような「あ」
「お」のような「お」
「お」のような「え」
「お」のような「う」
「お」のような「い」

と、イメージして発声すると、響きのある深く丸い声に変化するのです。

発音の仕組みは理解できましたか？　発音についてわかった上で、ここからは「イントネーション」について伝えていきましょう。

図1　山の高さで感情を表現する

よく、「イントネーションが違う」「お国訛りがある」などという言葉を耳にします。このように、単語についてもイントネーションという言葉を使いますが、単語のイントネーションは場面に応じた声づくりの項目で説明します。

ここでは、文章や文節におけるイントネーションについて触れていきましょう。

「イントネーション」とは

センテンス、つまり、文章や文節単位での音の高低のことです。

日本語には「頭高尾低《とうこうびてい》」というイントネーションの原則があります。

話し始めは高く、話し終わりに近づくに

つれてだんだん低くなり、話し終わりが最も低くなるというものです。

ただし、「強調したい言葉」のことは「プロミネンス」といって、その言葉の話し始めで音を高くします。

また、疑問や呼び掛けの場合は、文末が少し上がります。

さらに、センテンス（文節）が長い場合は、途中で音を高くし直す箇所が生じます。これを「音を立て直す」という言い方をします。

読む・話すスキルが高いか低いかは、イントネーションで決まると言っても過言ではありません。イントネーションは読む・話すことの、重要な要素です。

つまり、一文の中に、音の抑揚の山を描いて話すイメージです。必ず語尾を下げます。「山の高さで、感情を表現する」という意味です。

CHECK

発音の仕方、イントネーションで相手への伝わり方が格段に変わります。基本のテクニックを知り、コミュニケーション上手への階段を上って行きましょう！

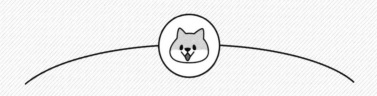

第２章

今すぐ習得すべきコミュニケーション術

COMMUNICATION

好感度の高い人は あいさつ上手

人と人が会話するときの第一声は、あいさつから始まります。場面に応じて、またその人との関係性によってあいさつには様々な種類があります。相手と気持ち良く接し豊かな生活を送るためにも、第一声のあいさつを生活の基本として使いこなせるようにしていきましょう。

あいさつは、相手の気分を一瞬で幸せにする魔法の言葉です。しかも好感度の高い人が共通してできていることです。

家族・学校・職場・ビジネス・コミュニティなど、人と接する場において、基本的なマナーとして、非常に大切な役割があります。また心地よいあいさつをするためには、場面や相手に合った言葉をきちんと身につけていることが大前提です。

あいさつを生活の基本とし、バリエーション豊かに、その場に合った対応を心がけま

［あいさつの場面］

●生活の中でのあいさつ

●人と出会った時のあいさつ

●別れ際のあいさつ

●公の席でのあいさつ

●相手を気遣うあいさつ

●気候や天気を表すあいさつ

［仕事上のあいさつ］

・お疲れ様です。

・お世話になっております。

・お先に失礼します。

［基本的あいさつ］

・おはようございます。

・こんにちは。

・こんばんは。

・行ってきます。

・行ってらっしゃい。

・ただいま。

・おかえり。

・いただきます。

・ご馳走さま。

・ありがとうございます。

・お久しぶりです。

図2　あいさつの場面

しょう。

笑顔のあいさつは大変気持ちが良いものです。無表情のあいさつは、言葉だけという印象となってしまうため、あいさつをするときには「笑顔」をプラスするようにしましょう。

CHECK

身近な人、職場の人、家族、友人、仲間、初めての人とのあいさつは先手必勝。自分からあいさつを始めてみましょう。

COMMUNICATION

品格ある立ち居振る舞い

さて、あなたの印象は相手からどう見られているのでしょう?

初めて会った人の印象は、何を手がかりに、どのくらいの時間で決まると思いますか?

アメリカの心理学者アルバート・メラビアンは、話し手が聞き手に与える影響は、次のように構成されているという研究結果を発表しました。

- 言語情報(話している内容)が7%、
- 聴覚情報(話し方、声のトーンなど)が38%、
- 視覚情報(表情や立ち居振る舞い、見た目など)が55%

この研究結果から、
「視覚から得る印象（表情や立ち居振る舞い、見た目など）」をよくすることで、相手に好感を持ってもらえることがわかります。

POINT

- かかとをつける。
- 胸を自然に張り、背筋を伸ばす。
- 両肩は力を抜いて、心持ち下げる。
- 両腕は自然に下ろし、手は指を揃えスカート（ズボン）の両側の縫い目に添える。
- あごを引き、視線は水平か、やや下に向ける。

あごを軽く引くと、視線が正面に向き印象が良くなります。相手と目線の高さが合うように意識します。あごが上がると、目線が高くなり、相手を見下ろしているような印象を与えるので気をつけましょう。

POINT

- あごを引き、胸を張り正面を見る。
- 膝を伸ばし、かかとから下ろすように歩く。
- 身体を上下左右に振らないように颯爽《さっそう》と歩く。

視線を歩く先に向けて、上体から前に進むようにすると印象が良くなります。速すぎず、遅すぎず周囲に目を配りながら適度なスピードを心がけます。

職場や仲間同士で、互いに歩き方のチェックをするとよいでしょう。

笑顔でやってみよう！

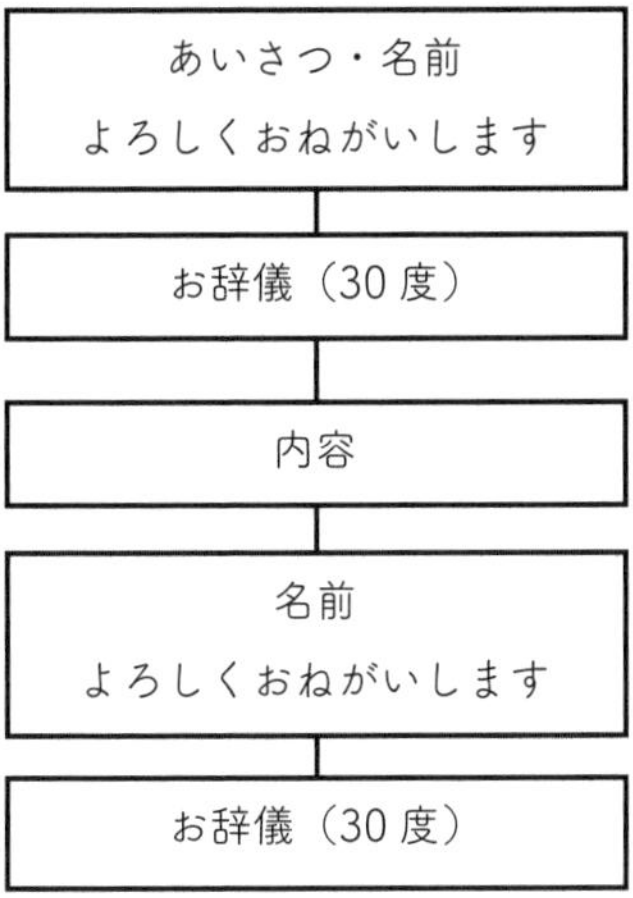

図3　笑顔でやってみよう

ビジネスの場面で姿勢は重要です。姿勢は、相手や仕事に対する自分の思いや態度を表す大切な役割を果たします。重心が傾く、腕を組む、足を組む、頬杖をつく等の姿勢に気をつけましょう。話をする場合は、首だけ相手の方に向けるのではなく、身体ごと相手の正面に向けます。

美しい姿勢のPOINT

- 背筋を伸ばす。
- 両肩の位置が床と平行になるようにする。
- 肩の力は抜いて手は自然におろす。
- お腹とおしり（体の中心）に力を入れる。

体の中心に力を入れると、体幹がしっかりして自然に姿勢が良くなります。
美しい姿勢は、見た目の美しさだけではなく、礼儀正しい印象を与え、「誠意」が伝わる姿勢といえます。

次に、お辞儀です。

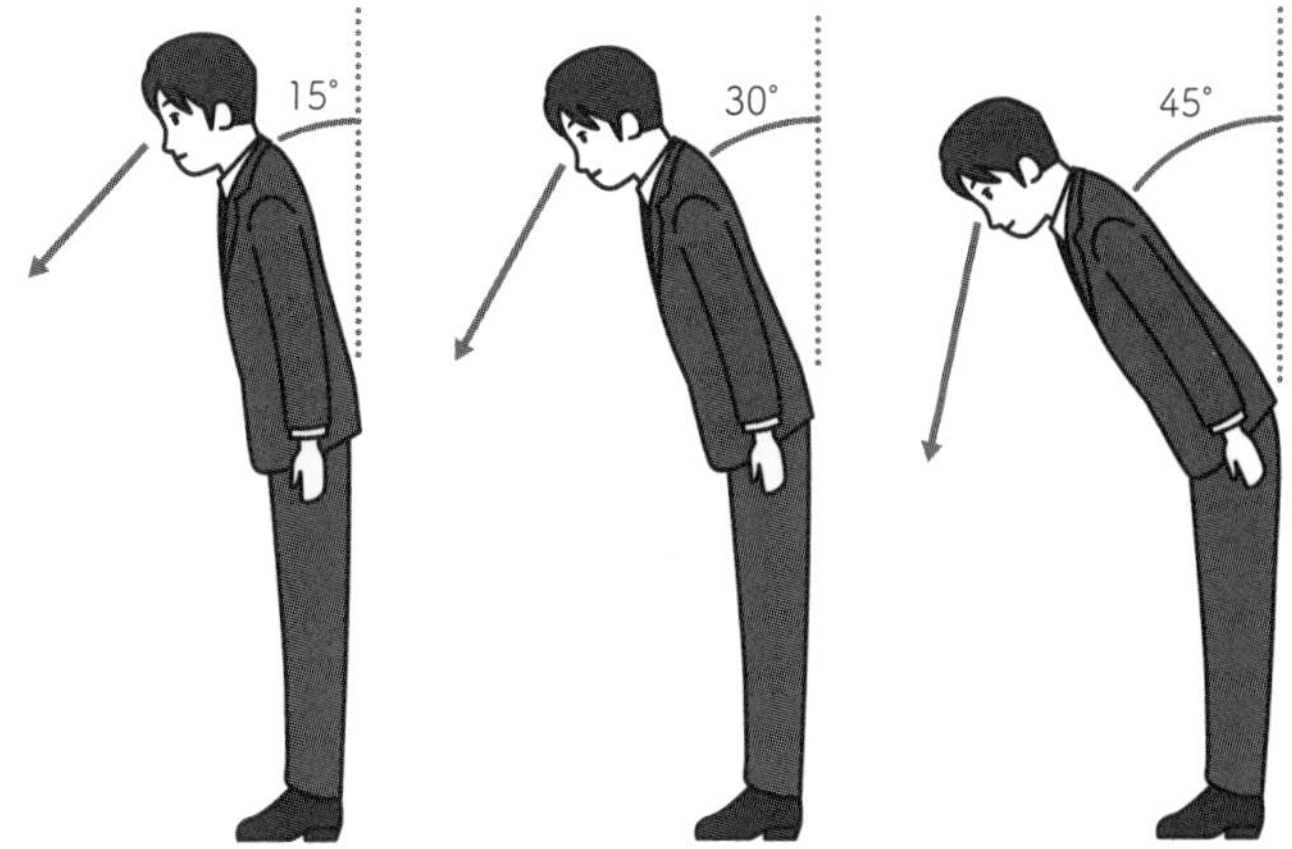

図4　お辞儀

「先言《せんげん》後礼《ごれい》」という字の如く、言葉を先に伝え、言い終わってからお辞儀をするとキリッと美しく見られます。

言葉の「間」を入れる。

角度は3種類、15度は会釈・30度は丁寧なお辞儀、45度は最敬礼です。

普段は、30度のお辞儀を心がけましょう。

それでは、やり方として「ワン・ツー・スリー」で覚えましょう。

「ワン」相手をしっかり見る。

「ツー」腰から折れる。

「スリー」頭を上げて姿勢を正す

ゆっくりと、ひとつひとつの動作を止めるイメージで行ってください。

第一印象を左右する要素であることを踏まえて、好印象のお辞儀を手に入れましょう。

CHECK

あなたの身の回りの人で、お辞儀が一番美しいと感じる人はいますか？　その人とあなたとのお辞儀の一番の違いはどこだと思いますか？

COMMUNICATION

相手からの信頼を得る常識ある身だしなみ

言葉遣いと同様に身だしなみは重要です。ビジネス上では特に第一印象が重視されるため、常に身だしなみを整えておく必要があります。身だしなみを整える際は、次の箇所をチェックしましょう。

髪　　：寝癖をとる。目が隠れないようにする。
スーツ：シワをとり、シャツの襟を正す。
ネクタイ：まっすぐに結ぶ。
ボトムス：ズボンの場合、裾の長さを適度に保つ。
　　　スカートの場合、丈の長さが短すぎないように注意する。
靴　　：汚れをとる。

男　性：髭をしっかりと剃る。

女　性：ナチュラルメイクを心がける。わかりやすいカラーコンタクトは避ける。

髪やネクタイは、毎朝、鏡を見ながら確認します。またスーツのシワや靴の汚れは時間があるときにきれいにしておきましょう。

ズボンの裾は、購入する際にしっかりと長さを合わせておくことをおすすめします。女性は、パンプスのヒール部分の手入れを忘れないようにしましょう。

有能なビジネスマンであっても、エチケットやマナーを知らないと、不本意な評価を受けてしまうことがあるものです。

そして、怖いのは「知らない」ことです。自分では全く悪気のない行動が実はとてつもなく礼を失した立ち居振る舞いとなっていることが往々にしてあります。

私たちは、老若男女問わず様々な方々と関わりをもって社会生活を送っています。その上で組織・ビジネスシーンでエチケットやマナーを知ることは、相手に対する思いや

色：紺色か黒、濃いグレーなどダーク系の色をえらびましょう。
そで丈：自然に腕を下したときにシャツの袖が1.5〜2ｃｍ見えるくらいがちょうどいいでしょう。
シルエット：おしゃれ感は不要です。体に合ったサイズにしましょう。
パンツ丈：長すぎず短すぎず、靴のヒールの上1〜2ｃｍがジャストとされています。
色：紺色か黒かのダークな色にしましょう。
インナー：白のブラウスやシャツを選びましょう。
シルエット：ボディラインを強調しすぎないものにしましょう。
スカート丈：短すぎはNG。パンツスーツでも可。どちらを選ぶかよりも大事なのは清潔感です。

図5　スーツ選びのポイント

りです。しかも知らないことで自分が損をする必要のないことです。

シワのあるシャツ、汚れた靴、派手な髪型など、見た目からの視覚情報量を減らすことは、「相手に話を聞いてもらえる」ことにも繋がります。

相手に対するエチケット・マナーを理解し、時と場面に応じた対応ができるようになると、相手からの信頼は厚く、より良い人間関係を築いていけます。

CHECK

あなたの髪型、服装、靴、かばん、時計、アクセサリーなどの中で、変えると印象が良くなる、会話のきっかけになると感じるところはどこですか？

COMMUNICATION

知っておくと安心！場面に応じた言葉づかい

世代や価値観の違う社会の中で、円滑なコミュニケーションを図るためには、場面に応じた言葉遣いや、状況に相応《ふさわ》しい話し方が求められます。

そこで、相手の立場や気持ちを思いやり、不快な印象を与えないように「敬語」や「マジックフレーズ」の基本的知識を身につけましょう。自然に使いこなせると会話に自信がもて、臆することなく良好な人間関係を築くことができます。

敬語

敬語には、「相手に敬意を表す」「相手と自分との立場や上下関係を明確にする」という役割があり、立場や上下関係により、使う言葉は変わります。

大きく分けると「尊敬語」「謙譲語」「丁寧語」の3種類です。

- **尊敬語：相手の動作や状態を高めることで相手に敬意を表します。**

●謙譲語：自分の動作や状態をへりくだることで、間接的に相手に敬意を表します。
●丁寧語：言葉を丁寧に表現して相手に敬意を表します。

尊敬語と謙譲語は、立場が上の相手に敬意を表すときに使います。
丁寧語は立場に関係なく使います。

また、丁寧に伝えることを意識しすぎるあまり、二重敬語を使わないように気をつけましょう。

二重敬語とは、一つの単語を二重に敬語表現することです。

「おっしゃられる」↓「おっしゃる」＋「～れる」
●二重敬語「田島課長がおっしゃられていました。」
●正しい敬語「田島課長がおっしゃっていました。」

「お」と「ご」の使い分け方

原則として「お」は訓読み、「ご」は音読みの言葉に使います。

●「お」をつける言葉

お気持ち・お考え・お時間・お言葉・お車・お電話

●「ご」をつける言葉

ご心配・ご相談・ご自宅・ご連絡・ご来社・ご在宅

●外来語や動植物、公共物、自然現象には「お」や「ご」をつけません。

コーヒー・ビール・犬・花束・公園・雨・雪

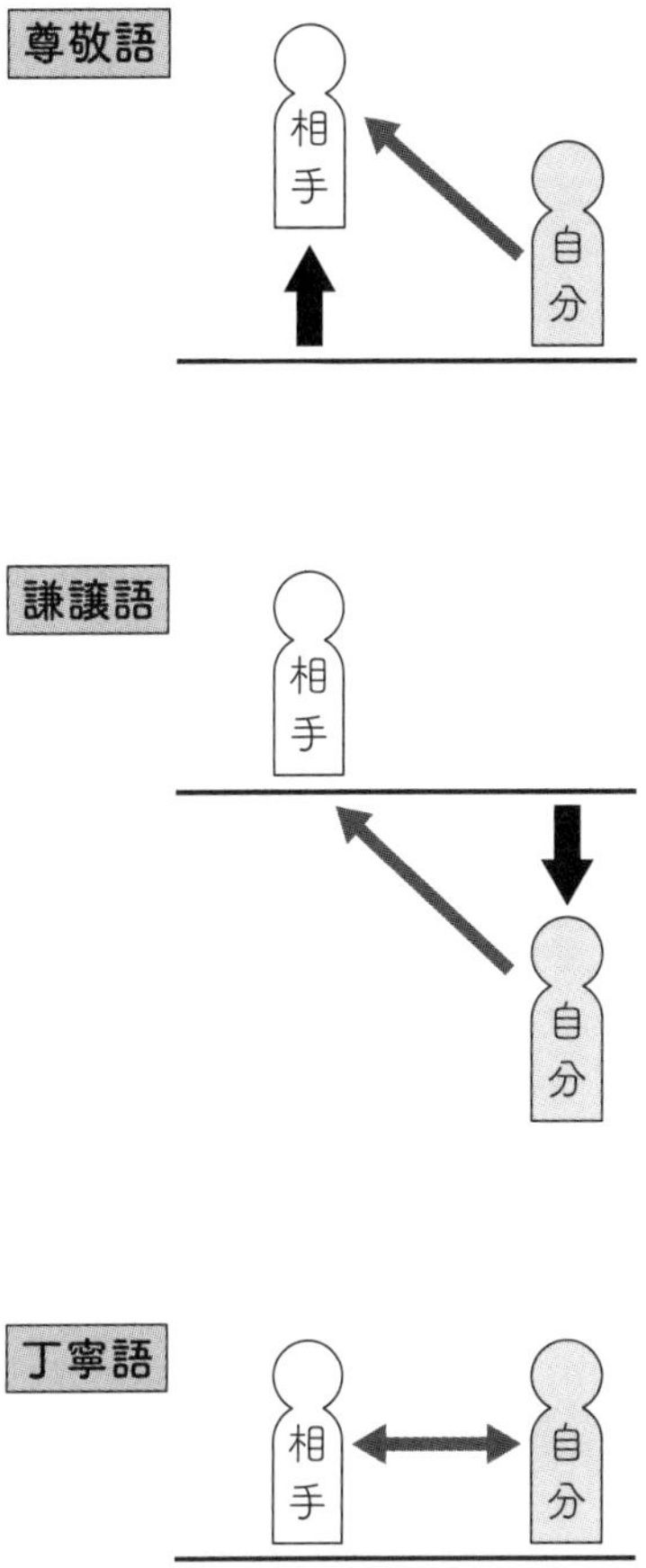

図6　尊敬語・謙譲語・丁寧語

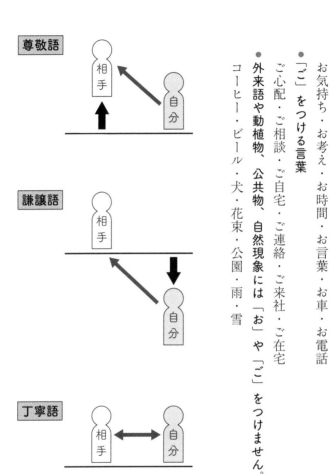

ビジネスの場面での基本ルール

①上司や先輩に対しては尊敬語を使いますが、社外では、謙譲語を使い、呼び捨てにします。

社内の人に対して

「田辺課長がそのようにおっしゃっていました。」

社外の人に対して

「課長の田辺がそのように申しておりました。」

②社内の人の身内から電話がかかってきた場合は、尊敬語を使います。

「ただ今、田辺課長は外出されています。」

基本形	尊敬語	謙譲語	丁寧語
する	なさる される	いたす	します
いる	いらっしゃる	おる・おります	います
行く	いらっしゃる おいでになる 行かれる	参る・伺う	行きます
来る	いらっしゃる お越しになる お見えになる 来られる	参る・伺う	来ます
帰る	お帰りになる 帰られる	失礼する	帰ります
言う	おっしゃる 言われる	申す 申し上げる	言います
見る	ご覧になる 見られる	拝見する	見ます
聞く	お聞きになる 聞かれる	伺う・賜る お聞きする	聞きます
食べる	召し上がる お食べになる 食べられる	いただく ちょうだいする	食べます
もらう	お受け取りになる	いただく ちょうだいする 承る	もらいます

図7　自然に使いこなしたい敬語

通常	電話対応
自分の会社	わたくしども　当社　わが社
相手の会社	御社　そちら様
(相手の会社の) 原口部長	部長の原口様
(相手の会社の) 担当者	ご担当の方
何でしょうか? (用件を聞く)	どのようなご用件でしょうか
声が聞こえないのですが	恐れ入ります 少々お電話が遠いようですが
ちょっと待ってください	少々お待ちいただけますか
わかりました	かしこまりました。 承知いたしました
そのとおりです	ごもっともでございます
やります	いたします
できません	いたしかねます
どうですか?	いかがでしょうか
知っていますか?	ご存じでしょうか
すみませんが	申し訳ございませんが
ちょっと	少々
一応	念のため
席にいません (社内の人)	あいにく席をはずしております
外出しています	外出いたしております
どうしましょうか	いかがいたしましょうか
後で電話してください	もう一度お電話いただけますか
後で電話をします	後ほどこちらからお電話いたします
来てください	お越しください

図8　知っておきたい電話対応

【練習問題】

次の文章を正しい敬語に直してください。

① その件は受付で伺って下さい。

② 部長の佐々木は出かけておりますが……（上司の家族に対して）

③ うちの社長にお目にかかりましたか？

④ 今日は会社におられますか？

⑤ 課長、海外出張ご苦労さまでした。

⑥ 一度、当社に参られてはいかがですか？

⑦ 山根課長は、確かにそう申されました。

⑧ 野村部長はお帰りになられました。（社外の人に）

⑨ 野村部長のお話、とても参考になりました。

⑩ 社長は、お召し上がりになられました。

【解答例】

① その件は受付でお尋ねいただけますか？

② 佐々木部長は外出していらっしゃいます。

③ わたくしどもの社長にお会いになりましたか？

④ 本日は会社にいらっしゃいますか？

⑤ 課長、海外出張お疲れさまでした。

⑥ 一度、当社にお越しになるのはいかがですか？

⑦ 山根課長は、確かにそうおっしゃいました。

⑧ 部長の野村は帰宅いたしました。

⑨ 野村部長のお話、大変勉強になりました。

⑩ 社長は、お召し上がりになりました。

図9　練習問題

マジックフレーズ（クッション言葉）

マジックフレーズとは、本題の前に入れて使用する言葉で、ストレートに言ってしまうときつくなりがちな内容を柔らかい印象に変える働きがあります。

相手への配慮や思いやりを示すことで、言いにくい内容も伝えやすくなり、会話やコミュニケーションがスムーズになります。

依頼するとき

- お手数をおかけしますが
- お忙しいところ申し訳ありませんが
- ご都合がよろしければ
- お時間がありましたら

「お手数をおかけいたしますが、こちらにご記入をお願いいたします。」

クッション言葉＋依頼形にすると、柔らかな印象になります。

「お忙しいところ申し訳ありませんが、もうしばらくお待ちいただけますか？」

断るとき

- あいにくですが
- せっかくですが
- 申し訳ありませんが
- 大変残念ですが

断る場合は代案を示すと印象が良くなります。

「来週の水曜日でしたら参加できますが、ご都合はいかがでしょうか？」

尋ねるとき

- 差し支えなければ
- 失礼ですが
- ご迷惑でなければ

「差し支えなければ、連絡先を教えていただけないでしょうか。」

反論するとき

- 恐縮ですが
- お言葉を返すようですが
- 失礼ですが
- ごもっともですが

「お言葉を返すようですが、この日程には無理があると思います。」

大変便利なマジックフレーズですが、多用しすぎると相手に不快な印象を与えてしまうため、状況に応じて使い分けることが大切です。

特に仕事上での会話をスムーズにするためには相手や場面に応じた敬語、マジックフレーズを使いこなしていくと一目置かれる存在になるでしょう。

CHECK

あなたが使っている言葉の中で、うまく使えていない尊敬語、謙譲語、丁寧語は何ですか？

COMMUNICATION

誰とでも臆することなく会話が弾むテクニック

私たちが社会で生きていく上で、コミュニケーション能力は必要不可欠です。その礎となっているものは「会話」です。良い人間関係を築くために日々の「会話」について考えてみましょう。

例えば、「あの人は面白い人だ」「あの人はつまらない人だ」など、人の印象や魅力、人柄は会話から判断されることが多いと思いませんか？

会話は「話す」ことと「聞く」ことで成り立ちます。「話が続かない」「何を話してよいかわからない」という人は、「話す」ことに大きく意識が向いているケースが多いため、まず「聞く」ことから意識してみましょう。すると相手が話したい内容や何を求めているのかがわかり、会話のキャッチボールがスムーズになってきます。

ここでは、会話力を磨くための具体的なポイントを伝えていきましょう。

誰とでも良い人間関係を築くスキル

(1) あいさつの後に添える一言を伝えます。

「高感度の高い人はあいさつ上手」でも記したように、あいさつは、コミュニケーションの第一歩です。

「好き」の対極は「嫌い」ではなく「無関心」であると言われています。あいさつは、相手の存在を認める行為であり、話しやすい雰囲気をつくることができるのです。

あいさつの後に一言添えると、さらに効果的です。

自分「おはようございます。」

相手「おはようございます。」

自分「今日も良い天気ですね。」

相手「今日は一段と暑くなりそうですね。」

● **あいさつの後に添える一言は、身近な話題がおすすめです。**

天気、ニュース、服装、趣味など話しやすいものを選ぶと良いでしょう。

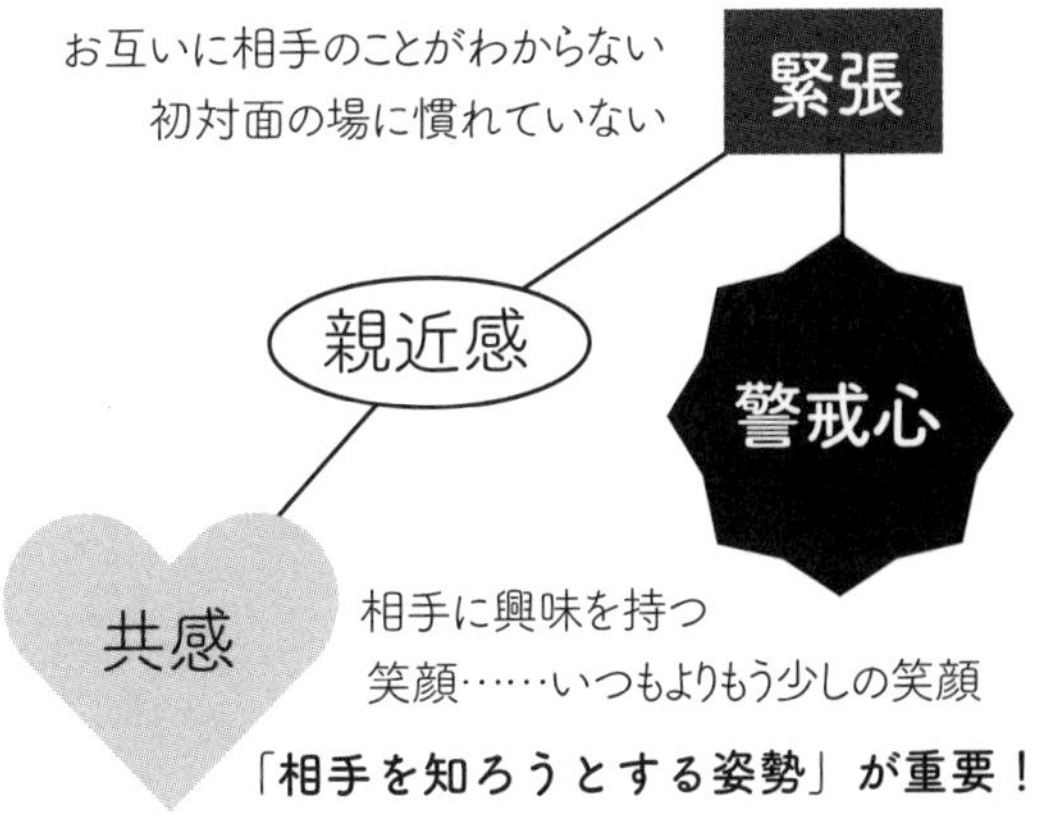

図10　誰とでもいい人間関係を築くスキル

共通点を見つけます。

出身地が同じ、趣味が同じなどお互いの共通の話題を見つけると、初めての相手でも会話がスムーズに進みます。共通点のある相手には親近感を持ち、打ち解けやすくなるからです。

共通点を見つけるには？

●自己開示をしながら相手に心を開いてもらいます。

共通点を見つけるには質問が欠かせません。しかし質問ばかりしていると尋問のようになってしまい、相手は心を閉ざしてしまいます。

まずは、自分が情報開示をしながら自然な流れで質問することで、相手は話しやすくなります。
「私は九州の出身ですが、〇〇さんはどちらの出身ですか？」

(3) 相手の気持ちに寄り添い共感しながら話に耳を傾けます。(傾聴力)
多くの人は、自分の話を聞いてほしいと思っています。流暢《りゅうちょう》に自分の話をする人は「しゃべり上手」で会話がうまいということではありません。

傾聴力を高めるには？

①うなずき、相づち、アイコンタクトで共感を表し相手に安心してもらいます。

②相手の言葉だけでなくその奥にある「真意」や「本当の気持ち」をくみ取ります。
私たちが「言葉」として発しているのは、木に例えるなら幹や枝葉の地上に見えている情報です。目に見えない根っこの部分を、表情や口調などの「非言語」から情報を読み取り相手の気持ちになって理解することが大切です。

③ミラーリングで相手との一体感をつくります。

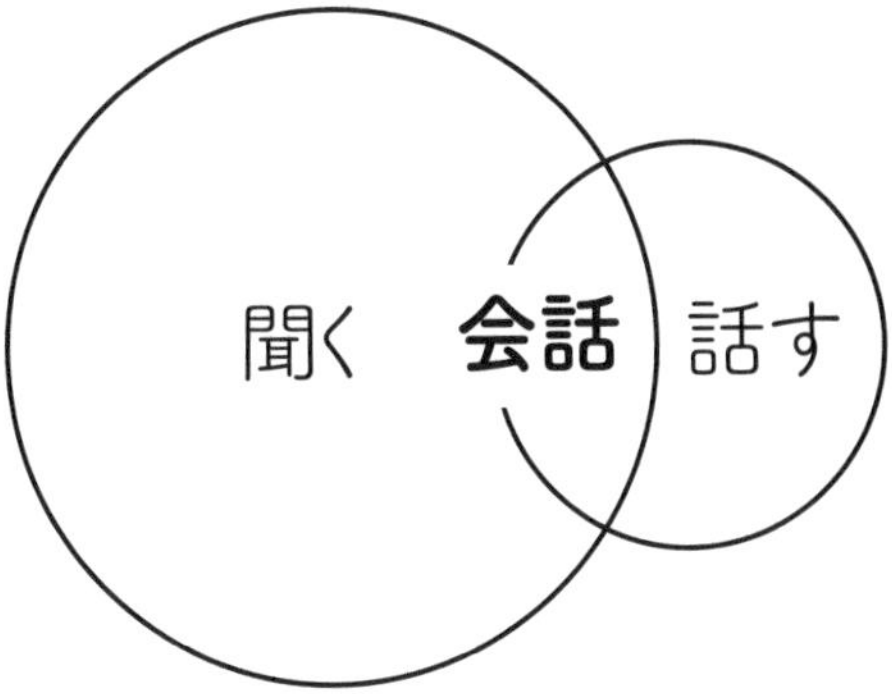

「聞く：話す」＝「7：3」

聞く・7	**情報**	目と耳で相手から情報を集める
	分析	相手が何を求めているか探り分析
	選択・組立	相手の求めていることを絞り込む
話す・3	**実行**	分かりやすい言葉で短く端的に

聞かなければ、話せない！

図11　会話は「聞く」と「話す」で成り立つ

ミラーリングとは「鏡」のように相手に合わせることです。表情や動作、ジェスチャー等を相手と鏡写しになるように合わせます。例えば、相手が笑顔で話しているときには自分も笑顔で聞く、相手が飲み物を飲むタイミングで自分も飲む等です。また、声のスピード、声のトーン、口調などを相手に合わせることを、ペーシングと言います。

人は自分と似た人や同じような行動をする人に好意や親近感を持ちやすいため、相手と合わせることで信頼関係を築くことができます。

(4) 質問力を磨き、相手に気持ちよく話をしてもらいます。

話を聞くだけでは会話は成り立ちません。そこで役に立つのが質問力です。上手に質問をすることで、自分自身は話すことが苦手でも、相手に話をしてもらうことで会話はスムーズになります。

質問力を高めるには？

①2種類の質問の仕方を使い分けます。

● オープンクエスチョン

相手が答える範囲を制限せず自由に答えてもらう質問です。相手から多くの情報を引き出すときに有効です。

Q.「最近どんな楽しいことがあったのですか？」

A.「学生時代の友だちと久しぶりにドライブに行きました。」

●クローズドクエスチョン

「はい」「いいえ」の二者択一や「A or B or C」の三者択一のように回答範囲を狭く限定した質問です。相手の考えや事実を明確にしたい、早く知りたいときに有効です。

②相手が答えやすい雰囲気をつくります。

人にはそれぞれ話しやすいペースがあります。

●相手の話を遮って自分が話をしたり、話し終わる前に言葉を重ねたりせず、最後まできちんと聞きます。

●なかなか相手が答えない場合でも沈黙を恐れず、間をとります。

●答えに困っているときは、選択肢を与えたり、例えを出したりします。
「今後、何か目標はありますか？」

「……」

「例えば、こんな資格を取りたいとか、新しく何かを始めたいとか。

あれば教えていただけますか？」

●立て続けに質問をせず、時々、自分の話も織り交ぜます。

●質問に対して、相手が困ったり、答えたくないという態度をとったりした場合は、質問内容を変えます。

●相手が身を乗り出して楽しそうに話す話題については、相づち、ミラーリングで多くの情報を引き出します。

(5) 自分の伝えたいことを相手が理解できるように伝えます。（伝達力）
会話では、自分の伝えたいことを明確にする、相手の質問内容を的確に捉えて答えることが必要です。「聞く」と「話す」のスキルをバランスよく使いこなすことで、会話がスムーズに進行し、その場を楽しく盛り上げることもできるのです。

伝達力を高めるには？

●相手軸で伝えます。

人は考え方や価値観が、一人一人違います。それぞれの考え、思い、感情などを相手の立場に立って想定すると、内容が伝わりやすくなります。

●自分が伝えたいことを理解し明確にします。

話したいことがあいまいなまま話し始めると、自分でも何を話しているかわからなくなります。そのような状況では、相手は理解することができません。

●わかりやすい構成を意識します。

●相手の理解度を認識します。

専門用語は使わないようにします。相手の理解度を察知し、そのレベルや感覚に合わせた言葉を選ぶことで伝わりやすくなります。普段からわかりやすく言い換える癖をつけると良いでしょう。

● **話すタイミングに気を配ります。**

　忙しくないか、体調が悪くないかなど、相手の都合を考えて、話してもよいタイミングかどうかを判断します。相手が聞く状況ではないときに、どんなにうまく伝えても内容を理解してもらえません。

● **相手の良いところに目を向け褒めます。**

　褒めることは「この人ともっと話したい！」と思ってもらうテクニックの一つです。褒められた人はもちろん、褒める方も笑顔になります。会話の中でさりげなく相手の良いところを伝えることがポイントです。

　まずは、見たままの事実を伝えることから始めます。

「いつも笑顔が素敵ですね。」

事実↓行動↓能力など褒めるバリエーションを広げると会話も広がります。

自分を主語にして褒める（Iメッセージ）と、素直に受け止めてもらえます。

「すごい資格をお持ちですね。」↓「この資格をお持ちだなんて本当に尊敬します」

　相手が褒めてほしいところを瞬時にピンポイントで褒めることができると、一気に距離も縮まります。

会話をスムーズに進行するためには、良い人間関係を築くスキルを理解するだけでなく、日常で実践していくことが大切です。

CHECK

今日、誰かに「おはようございます」や「こんにちは」と言った後、ひと言添えるとしたら、どんな話題がありますか？

COMMUNICATION

豊かな表情で好感度が決まる

表情を活き活きさせるためには、まず目力が重要な役割を果たします。目の表情が豊かな人、すなわち目力のある人の多くは、自分に自信があり、強い意志を持っている印象に受け止められます。その人の内面が目に表れ、魅力的に映って見えるのです。また、明るい笑顔は、表情を魅力的に見せるだけでなく、人の心をなごませ、親しみやすさを演出します。

表情は、顔にある30種類以上の「表情筋」によってつくられています。表情筋は筋肉の一種であるため、使わない部分はどんどん衰えてしまいます。つまり感じのよい笑顔をつくるためには、表情筋を鍛えるトレーニングが必要です。素敵な笑顔になるためには、特に口輪筋《こうりんきん》・笑筋《しょうきん》・大頬骨筋《だいきょうこつきん》・小頬骨筋《しょうきょうこつきん》・眼輪筋《がんりんきん》の5つを鍛えることが大切です。

図12　素敵な笑顔に必要な筋肉

顔筋トレーニング

日常生活に気軽に取り入れ、毎日続けましょう！

①顔の筋肉を両手で、軽くマッサージする。
②顔を思い切りすぼめた後に大きく開く。これを5セット繰り返す。
③口を左右に引っ張る。これを5セット繰り返す。
④怒った顔をする。
⑤最後に笑顔をつくる。
（笑顔が上手にできない人は手で口角を上げて笑顔づくりをしてみましょう）

人の顔は、凝りをほぐすと自然に笑顔に

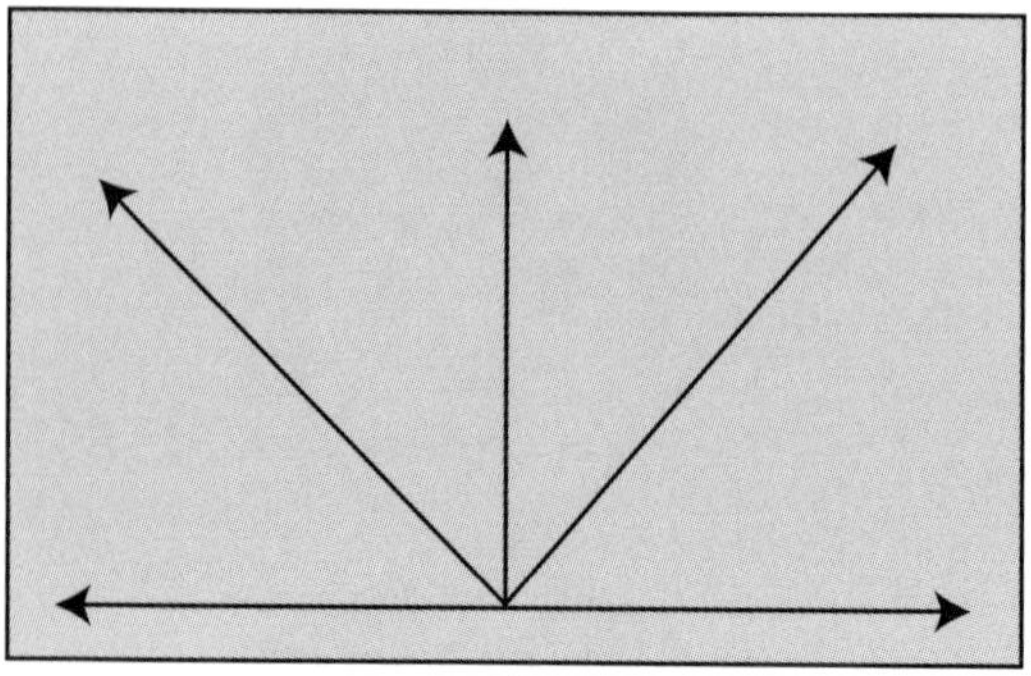

図13　目線

なりやすくなっています。

面接の様に重要な場面の前には、おでこと頬のマッサージをして筋肉をほぐしておくと自然な笑顔になってきます。


次に目線について重要なポイントをお伝えします。

目を見て話すことは、自分と相手との関係が長期的（親密度の濃い関係）か短期的（親密度の薄い関係）かによって変わっていきます。

目を見て話すと、好感度や友好度を向上させる事ができるからです。

ただし、適切に行わないと、相手にマイナスの印象を与えてしまうため注意が必要です。目線の動かし方のコツは、一文章一方向で動かすことです。目線は流さず、必ず「文末（語尾）で目線を止める」ことをイメージしてください。

会場などたくさんの人の前で話す場合の目線は、会場を四角とすると、図のように万遍なく見渡します。

前列は死角になりやすいため、意識して目線を配ることが肝心です。

CHECK

あなたの周りにいる人で、笑顔が一番素敵な人はどなたですか？　その人の笑顔に触れるとどんな気持ちになるかチェックしてみましょう。

COMMUNICATION

実践トレーニング チャレンジしてみよう

さぁ、ここでは「自己紹介」の3分のスピーチを実践してみましょう。

新しい学校や職場に入っていくときに、まず「自己紹介してください」と言われた経験はありませんか？　自己紹介とは、初めて会う人などに、姓名・職業などを述べ自分が何者であるかを説明することです。

「これからよろしくお願いします」という挨拶を兼ね、新しい学校や職場に入ったときのように、大勢の前での口頭によるもの、もしくは仕事上で新しく担当者になったときは名刺を差し出して行うものなどもあります。どこに行ってもまず求められる自己紹介。そのメリットとはいったい何でしょうか？

自己紹介をすることで、相手に自分のことをわかってもらうだけでなく、共通の話題を見つけて、相手の情報を聞き出すこともできるかもしれません。こうしてお互いが歩み寄れる一歩が自己紹介の役割です。

では、実際に自己紹介の文章を作ってみましょう。
紙を用意して、次の質問の答えを書き出してください。

①あなたの名前・由来・意味を書いてください。
②あなたの趣味、特技、関心事を書いてください。
③あなたの今後の目標・夢を書いてください。
④あなたの出身（地・校）・経歴を書いてください。
⑤あなたの抱負・強み・感謝していることを書いてください。
⑥①〜⑤の中身をすべて書き出したら、次の例のような場面を想定して、その中から必要な要素をピックアップし、改めて紙に書き込んでみましょう。

●場面の例

入学・クラス替え・部活・ＰＴＡ・就活・入社・部署異動・プレゼン・商談・地域の役員会など、場面を想像しながら自己紹介にチャレンジしてみましょう。

●事例１・就活編

こんにちは。本日はこのような面接の機会をいただき、ありがとうございます。

私は○○○○と申します。今どき珍しい名前かと思いますが、健康に育つようにと、近くのお寺の住職に付けてもらったそうです。

○○大学、○○学部で○○を専攻していました。

学生時代は、方言について研究しておりました。東北地方の方言を中心に研究し、現地でのフィールドワークを何度も行いました。

また、そこで出会った現地の人たちとの交流を今も続けており、東日本大震災のときはボランティアとして現地に駆け付けました。

今後は、その時の経験を生かして日本中の災害で困っている人々を助けられるようなサービスや商品の開発をしたいと考えています。

○○○○です。（＊印象づけにもう一度伝えてもよい）

どうぞよろしくお願いいたします。

★ポイント：挨拶・名前・由来・意味・出身校・学部・専攻・学生時代に注力したこと・今後の目標・夢

●事例2・地域の役員会編

みなさん、こんにちは。

私は●●町一丁目の○○と申します。

この町内には5年前に引っ越してきました。

趣味はカラオケ、特技はそろばんです。今一番関心があるのは北公園のさくらの開花状況です。

今年度は経理担当となりました。就任の抱負は、数字の間違いがないようにがんばります。長年企業で経理部におりましたので、数字には強いです。町内のみなさんにはいつもよくしていただき、ありがとうございます。少しでもお役に立てるように一生懸命務めます。

今後とも、どうぞよろしくお願いいたします。

★ポイント：挨拶・名前・経歴・趣味・特技・関心事・抱負・強み・感謝していること

COMMUNICATION

実際に話してみよう

必要な場面に合わせた自己紹介の内容の組み立てはできましたか？
それでは実際に練習をしていきましょう。

① 時間内に伝える

まずは3分間で伝えるようにしてみましょう。

人前で話をするときに大切なことは、与えられた時間内に伝えることです。話したいこと、特に伝えたい部分に抜けや漏れがないようにしながら、一番伝えたい部分に時間を割きたいわけですから、前置きや説明が長くなりすぎないよう、どこを最も強調して話したいか、などをあらかじめ考えておき、長すぎたり短すぎたりしないよう、時間内に伝えるようにしましょう。

② 感情を込める

効果的に人に言いたいことを伝えるには、だらだらと同じ調子で話すのではなく、言葉に気持ちや感情を込めることが必要です。具体的には「声の強弱」をつけてみたり、強調したい部分では、聞いている人に「目線を合わせて」みたり、「ジェスチャーを使う」など体全体を使って自分の気持ちを込めて話してみましょう。

③ 手話・筆談

言いたいことを伝えるのには声以外にも様々な方法があります。

主に聴覚障害のある人との会話の手段として手話があります。手話ができるなら聴覚障害者や耳の聞こえづらい高齢者などにも言いたいことを伝えることができるでしょう。誰にでも通じるように話すことが大事ですから、手話では通じない時は、必要に応じてジェスチャーに切り替える、などの工夫もしてみましょう。

同様に、筆談という方法もあります。現在はスマートフォン、タブレット端末を使うなどの方法もあります。この時、できるだけ話すのに近いスピードで伝えるために、書く早さも必要になります。長い文章を単語など短く言い換えることも身につけておくと役に立つでしょう。丁寧さを気にして敬語を使いすぎたりするより、簡単で具体的な言葉が伝わりやすいと言われています。丁寧に伝える気持ちは顔の表情や指し示す手の動きなどで伝わるように心掛けましょう。

CHECK

自己紹介は考えるだけでなく実際にやってみることが大事です！

第3章
一目置かれる人になる際立つ話力

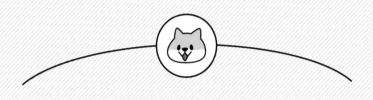

COMMUNICATION

適切な言葉は相手からの印象を格段に上げる

言葉は、人がお互いを理解するために重要な役割を果たしています。

その中でも、言葉遣いは心遣いともいわれ、場面や相手に合わせた言葉のつかい方で相手を大切にする気持ちが伝わります。さらにその言葉を発する人の人柄や教養が伝わり、信頼を得ることができます。

ビジネスでは敬語を使用しますが、適切な言葉で話すことは、それ以前に良い人間関係を築くための基本であり、コミュニケーション力が高いという印象を与えます。

それでは、どのような言葉が適切なのか、このあと学んでいきましょう。

社会人としての基本のあいさつ

● 出社時「おはようございます」

- 外出時「行ってきます」
- 帰社時「ただいま戻りました」
- 帰宅時「お先に失礼します」
- 他の社員の外出時「行ってらっしゃい」
- 他の社員の帰社時「お帰りなさい」
- 他の社員の帰宅時「お疲れ様です」
- 入室時「失礼します」
- 退室時「失礼しました」

接客7大用語：接客でよく使うあいさつ言葉です。

- いらっしゃいませ
- かしこまりました
- 恐れ入りますが
- 少しお待ちくださいませ
- 大変お待たせいたしました
- 申し訳ございません

●ありがとうございました

気をつけたい間違い言葉と話し方

●「ら」ぬき言葉

（誤）ケーキだったらもう一皿食べれる。

（正）ケーキだったらもう一皿食べられる。

●「さ」入り言葉

（誤）その本を読まさせていただきます。

（正）その本を読ませていただきます。

気をつけたい口ぐせ

●第一声が「いや」で始まる

「いや、おっしゃるとおりです。」

否定する意味ではありませんが、否定の言葉から始めることは避けます。

●あいまいな言葉

「わりと」「けっこう」「……みたい」「……な感じ」

会話の中、あいまいな言葉が頻繁に出てくると、信頼を失うことに繋がります。

●語尾伸ばし

「おはようございますぅ」

「○○じゃないですかぁ」

●半疑問形（会話の途中で意味もなく語尾を上げる）

「そろそろ会議資料?を準備しないと間に合いません。」

●否定的な言葉

「でも」「だって」「けど」「ってゆーか」

相手の言葉や感情を受け止めずに否定的な言葉を使うことは、相手を否定していることと同じです。度を越すと「攻撃」になります。

●どのような場面でも同じ言葉を使う

「やばい」

感動したとき、美味しいものを食べたとき、困ったとき、うれしいとき、悲しいとき、どのような場面でも同じ言葉を使う人がいます。語彙力を高め、その場に応じた言葉を選びましょう。

CHECK

言葉のつかい方で、あなたの評価が決まります。あなたの日常生活に当てはめて、適切な言葉をつかってみましょう!

COMMUNICATION

鮮烈な印象を与える擬音語の魅力

日本語には、オノマトペ（擬音語・擬態語）を使った表現が多くみられます。

擬音語とは、実際に音が出ているものを言葉にしたものであり、擬態語とは、実際には音は出ていないが、音のように表現したもののことです。

擬音語、擬態語は、音や雰囲気を模倣や例えによって表すもので、有効に使えば文字を多く使った具体的な説明を重ねるより、率直に意味を伝えることができます。

擬音語：自然界の音や物音、人間や動物の声を表します。

（例）

- ざーざー（雨が降る音）
- びゅーびゅー（風が吹く音）
- がちゃーん（ガラスが割れる音）

擬態語：音ではなく、何かの動きや様子を表します。

（例）

- わくわく（期待や喜びで心が落ち着かない様子）
- いらいら（ストレスや不快な気持ちで怒っている様子）
- きょろきょろ（あたりを見回している様子）

擬音語や擬態語は、言葉に言い表すことが困難なときに、感じたまま見たままに表現する感覚的な「刺さる言葉」として活用できます。

CHECK

相手に鮮烈な印象を与えるオノマトペを適切に使えるよう日頃から感性とスキルを磨いておきましょう。

COMMUNICATION

情景が浮かびやすい慣用句・ことわざ・四字熟語を用いた表現法

慣用句・ことわざ・四字熟語は、昔から大切に受け継がれてきた言語文化です。正しい意味を理解して使うと、表現が豊かになり、自分の気持ちや状況を分かりやすく伝えることができます。また、長々と説明しなければいけない場面でも、一言で簡潔に表現できるので誤解も少なくなります。

日常生活でこれらを効果的に使い、表現力を磨いていきましょう。

慣用句

長い時間習慣として使われてきた言い回しや、ひとまとまりの言葉や文句のことです。2つ以上の単語が結びついて一つの意味を表すようになっています。日常の行動や状態を表しているため、身体の部分を用いた表現が多くあります。

ことわざ

昔から伝えられてきた人々の生活の知恵や、生きていく上で大切な教え、皮肉や風刺などを含んだ短い文章のことです。慣用句が文中で使われる言い回しであるのに対し、ことわざは単体で成立します。

四字熟語

漢字4文字で作られた熟語のことです。古くからひとまとまりで慣用的に用いられています。広義では漢字4文字で構成されるものをすべて指しますが、狭義では慣用句として分類されるものだけを四字熟語としています。

CHECK

慣用句・ことわざ・四字熟語を効果的に使って表現の幅を広げましょう。

COMMUNICATION

接続詞の活用で会話にリズムをつくる

接続詞とは、前後の文を繋ぐ自立語です。文の先頭や、句読点のあとにくることが多く、文章の方向性を決める働きがあります。文章や会話の流れは接続詞によって決まるため、効果的に活用することで、会話にリズムが生まれ、内容をわかりやすく伝えることができます。しかし、多用するとかえってリズムが悪くなり、伝わりにくくなるので気をつけましょう。

接続詞は大きく分けると6種類です。

順接

接続詞の前の文を原因、理由とする結果を表します。

（例）だから、そのため、すると、したがって、そこで

（例文）今日は朝から激しい雨が降りました。そのため、花火大会は中止です。

逆接

接続詞の前の文の内容と反対（逆）の結果を表します。

（例）しかし、ところが、だけど、それなのに、それにもかかわらず

（例文）今日は朝から激しい雨が降りました。しかし、花火大会は予定通り開催されました。

並列・追加

接続詞の前に出てきた事柄に、さらに何かを並べたり付け加えたりします。

（例）そして、また、なお、そのうえ、しかも、さらに、および、それから

（例文）彼女は医者であり、また小説家でもあります。

対比・選択

接続詞の前後の事柄を比べたりどちらかを選んだりします。

（例）または、あるいは、それとも、もしくは

（例文）今日のランチは中華にしますか？　それともイタリアンにしますか？

説明・補足

接続詞の前に出てきた事柄を言い換えたり理由を説明したりします。

（例）つまり、すなわち、ただし、なぜなら、いわゆる

（例文）目的地までは、バスで30分、電車で15分です。つまり電車を利用するほうが早く到着します。

転換

接続詞の前後で話題が変わります。

（例）さて、では、ところで、ときに、そういえば

（例文）今日は一日楽しかったですね。ところで、明日は何時に出発しますか？

CHECK

接続詞は、文章の流れを導いてくれる効果があります。種類や前後の意味を正しく理解して使いましょう。

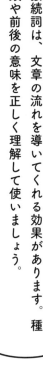

COMMUNICATION

相手から共感を得るなら効果的な例え話が効果的

例え話とは

伝えたい内容を具体的な話に置きかえて、短く簡潔に表現することです。

例え話には、話の内容を、相手にわかりやすく具体的にイメージさせる効果がありま す。説明がうまい人は、例え話を効果的に取り入れることで相手を納得させ、共感を得ることができます。

スピーチやプレゼンテーションも、テーマに沿った例え話を加えると、聞き手が理解しやすくなります。

説得力のある例え話をするためには、相手の知識、情報、経験を想定し、相手に合った具体的なものと置き換えることがポイントです。

（例）

難しいと思うことでも、繰り返し練習すると自然にできるようになります。補助なしの自転車は、最初、何度も転んでしまいますが、いつの間にか上手に乗れるようになっていますね。

人それぞれ、捉え方や感じ方は違います。3連休の最終日に、休みがあと1日しかないとがっかりする人もいれば、まだ1日もあるとワクワクする人がいます。

CHECK

会話に例え話を使う最大の効果は、聞き手に映像が浮かび、伝えたいことがよりわかりやすく、説得力と臨場感をもたらせる効果が期待できます。

COMMUNICATION

記憶に残る比喩表現

比喩とは

物事の状態や様子を他の物事に例えて表現することです。

比喩表現には、伝えたいイメージをわかりやすくし、表現したいことを強調する効果があります。

例えば、フルーツの甘さを伝える場合、「甘い」というよりも「はちみつのように甘い」と、はちみつに例えることで、甘さとともにおいしいイメージが強調されます。

比喩の種類には、直喩《ちょくゆ》と隠喩《いんゆ》等があります。

●直喩とは

「〜のような」「〜みたいな」等の言葉を用いて、別のものに例える表現です。対象を別のものにはっきりとわかる形で例える方法です。

明喩《めいゆ》ともいわれます。


（例）

「先輩は、私たちにとって輝く星のような存在です。」

「彼女の心はガラスみたいに繊細です。」

●**隠喩とは**

「～のような」「～みたいな」等の言葉を用いず、言葉を置き換える表現です。例えの表現であることをはっきり示さずに例える方法です。

暗喩《あんゆ》、メタファーともいわれます。


（例）

「先輩は、私たちにとって輝く星です。」

「彼女はガラスの心を持っています。」

直喩の表現は柔らかな印象で、隠喩の表現は強い印象を与えます。

直喩、隠喩以外にも次のような比喩方法があります。

● 換喩《かんゆ》

言い表すものと密接に関係するもので表現する方法です。


（例）

「休日はモーツァルトを聴いています。」

モーツァルトという人物ではなく、モーツァルトの作った楽曲のことを表しています。

● 提喩《ていゆ》

全体を表す言葉にかえて、一部を示す言葉で例える方法です。

また、一部を表す言葉にかえて、全体を示す言葉で例える方法です。


（例）

「予想を上回る数のお客様で、手が足りません。」

「手」という部分を表す言葉で「仕事をする人」を表しています。

●擬人法

人間以外のものを人間に見立てて表現する方法です。

現象を生き生きと描写することができます。


(例)

「今にも泣きだしそうな空模様です。」

今にも雨が降りそうな空模様を表しています。

CHECK

表現力を磨くなら、比喩表現を使ってみましょう！記憶に残る表現は伝えたいイメージをわかりやすくし、表現したいことを強調する効果があります。

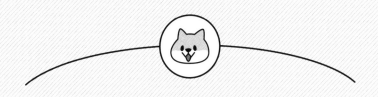

第 4 章

自己表現力は、あなたの人生を豊かにする

COMMUNICATION

相手との関係性を豊かにする自己表現力

自己表現とは、何でしょうか？

自己表現とは、自分の内にある気持ちや考えを言葉や形にして相手に伝えることを意味し、大きく2つに分類することができます。1つ目は個人的な嗜好や感じ方を相手に伝えるコミュニケーションの手段。もう一つは、作業に没頭したり、自分の心地よいものや空間をつくり上げたり、体現するなど作品を創作する活動そのものです。

つまり、自己表現を簡単に言うと、「自分を伝えること」です。

特にコミュニケーションは、自由に自分が感じた感情を他者へ言葉や表情、身振り手振りで表現します。自分を知ってほしい。理解してほしい。他人と自分を繋ぐ重要な自己表現です。

この章の内容はすべて、前述でお伝えした自己表現の一つとして参考になることばかりです。

人間が生きていく上で、必ず誰かと関わりながら日々を過ごしますが、円滑なコミュニケーションを図り、自分自身のアイデンティティーや心を守るためにも自己表現を行うことは重要です。

自分に合った自己表現を知って、自分の考えを他者へ伝える一歩を踏み出してみましょう。

CHECK

あなたが一番得意な自己表現は何ですか？　その表現力を使って今日何かするとしたら、どんなことが考えられますか？

COMMUNICATION

非言語部分を表情で伝える

非言語とは、言葉以外の手段を用いたメッセージのことを言います。

コミュニケーションの手段は、必ずしも言語を伴うとは限らなく、非言語は言葉で伝達する情報にさらに情報を添える役割を果たします。また言葉で表現しにくい感情やニュアンスを伝達する手段としては言葉以上に適する場合があります。

その中でも、人がつくり出す顔の表情（目線、笑顔）から相手はメッセージを受け取り、印象を決めています。

話すときに、相手の目を見て話すことは大事です。目の動きは相手の注意を引きやすく、目で感情を表現したり、目の動きから何を考えているかわかるということもあります。

相手に適度な目線を送ることは、主体性や積極性、協調性などのアピールにもなり、自分と相手を繋ぐパイプになります。

笑顔は、コミュニケーションにおいて非常に大切で、同じ内容を話しても笑顔か笑顔でないかで相手が受け止める印象が大きく違います。声も笑顔で話すと、明るいトーンに切り替わり、相手の緊張を和ませ安心感を与えます。仕事という公の場では特に笑顔を意識して相手との距離を縮めてチーム間の生産性にも繋がっていきます。

以上のことから、自己表現力は、言語の部分と非言語の部分とわけて捉え、相手との関係性を豊かにする生きる力へと結びつくものなのです。

CHECK

目線は相手と自分を繋ぐもの。笑顔は自分から相手に送る極上の思いとして、対人関係に必要な自己表現力で日々の生活を豊かにしましょう。

COMMUNICATION

ジェスチャーで話にメリハリをつける

表現力の中でも「ジェスチャー」は、メッセージを強調する視覚情報として効果的でしょう。

言葉に添えて強調するものがジェスチャーで、手の動きで話を立体的に見せ重要箇所を示し、話にメリハリと動きをつけることができます。

①聞き手を飽きさせない。

直立不動、変化のない話は聞き手にとって退屈です。興味を引きつけるために視覚的な変化をつけることは効果的です。

②不要な動きを隠すことができます。

人間は誰しも動きの癖を持っています。身体が揺れる、髪や口元を触る、手を後ろに組む等視覚的雑音として緊張したときには、それぞれ顕著に現れ、相手にあがっていると悟られます。不要な動きは、多くは無意識の癖ですからその是正には、例えばビデオ収録によって気づきをもち時間をかけて減らしていく、意識して動かさない訓練をする、緊張緩和の方法を試みる等あるでしょう。

ジェスチャーをする上で気をつけておきたい留意事項は6つです。

①大きくゆっくり。

- 胸元より上。
- 指先は揃えて。
- キレを持たせる。（指の動きを止める。）
- タイミングは、目線と重要ワードと一緒に出す。
- メッセージの内容と連携する。
- 表情やアイコンタクトと一体化する。

②多用はしない。

何度も手を使うと、その効果は薄くなり、また相手が内容に集中できなくなる。

手癖とジェスチャーは違う。

例：「ポイントは3つあります」3本指を立てる。

「こちらと、こちらでは……」右手と左手をそれぞれ出す。

「非常に重要です！」大きく手を広げる。


ジェスチャーを取り入れるタイミングは、重要なキーワードを伝えるときに、目線の方向に出すことが大切です。抑揚をつけたキーワード・目線・ジェスチャーの3点セットが、聞き手に印象を与え効果的に伝わります。

内容が重要なこともさることながら、聞き手に視覚効果として訴える場面では、必要不可欠ともいえます。

話しながら動作を加えるには、日常的な会話の中でも、「この場面は重要だ！」と思える場面は積極的にジェスチャーを取り入れていきましょう。

CHECK

話にメリハリと動きをつけるジェスチャーを取り入れ、相手に深い印象を与えましょう。

COMMUNICATION

滑舌改善4つのポイント

「あの人の話は聞き取りやすい」「この人の話は聞き取りにくい」などという言葉を聞いたことはありますか？　話や言葉が聞き取りにくいか、聞き取りやすいかは、滑舌が関係しています。いまでこそ、お笑いの、ツッコミなどでも使われていますので「滑舌」という言葉は、一般的になりました。

滑舌とは、発音や発声の良し悪しを表す言葉です。滑舌が悪いと、印象や説得力も損なうばかりでなく、相手に話が伝わらず、誤解や聞き違いが生じます。滑舌が良いと、印象や説得力も増し、相手に話が伝わるのです。

滑舌は簡単なトレーニングで改善できます。滑舌が悪い人の原因は、主に4つあります。

①舌の筋力が弱い。

②口の動きが小さい（口の中が狭い）。

③早口。
④舌小帯短縮症などがあげられます。

では、ここからは、この4つの滑舌改善ポイントをお伝えいたします。

①の舌の筋力が弱いことの対応として、舌の筋肉を鍛える手段はいくつかあります。そのひとつが「文章の音読」なのです。しかしながら、一朝一夕で滑舌が改善されるわけではないので、他の練習方法（舌筋トレーニング等）も実践しながら文章を音読することが有効です。

②口の動きが小さい（口の中が狭い）ことの対応として、「口の開け方」をお伝えします。

あくびをするときのように、鼻の穴も大きく、鼻息が流れ、口の中が広く開いていることが大切です。

日本語の母音は5つですが、母音によって口の中の形を変えると、喉に負担がかかりやすい状態をつくってしまっているのです。

つまり、口の中を広く開けて、口の中に大きな空間をつくるイメージの「お」の母音の口の形をしっかりと意識することで、より相手に聞き取りやすく、響きのある届く声になります。

③の早口の対応として、自分の話している言葉を録音して聞くことが有効です。録音した言葉を聞くことにより、自分の話すときのスピードが良くわかり、落とし込みができることにより、意識が付くので、より早く改善されます。

④の舌小帯短縮症の対応として、専門的分野になりますので、「然るべき専門機関への相談が望ましい」といえます。

このように、原因がどこにあるかを明確にして対応すると、より滑舌改善に近づきます。

CHECK

滑舌が良いとより鮮明に相手へ届き、相手からの印象が良くなり説得力も増してきます。

COMMUNICATION

音声表現で心に響く話し方を

音声表現とは、耳慣れない言葉ですが、実は、日常でも体感しているのです。例えば、朗読や読み聞かせ、テレビをつければコマーシャルなど、音で表現しています。読んで字のごとく、声の音で表現するということです。声の調子や、トーン、スピードの緩急、間の取り方、高低変化、これらすべてを総じて、抑揚と言います。

これらのテクニックを駆使して、話し方や仕事のプレゼンテーション、朗読の場面などで、より人に言葉を伝えるための表現を磨きます。

音声表現には、「3倍と1／3の法則」と呼ばれる法則があります。

これは、「自分では、実際の3倍豊かな抑揚をつけているつもりになりやすく、聞き手には、実際の1／3程度の抑揚しか伝わらない」というものです。

「できているつもり」になりやすいのが、音声表現です。また、決して一朝一夕にできるものではありません。

練習法

読み方の練習を行うときは、ぜひＩＣレコーダー等の録音機能などを使って自分の声を録音してみることをおすすめします。

伝える能力をアップさせたいなら、まずは現在の自分の能力を客観的に見ることが必要です。

客観的にチェックすることによって、良いところ・気をつけるべきところなどを見つけやすくなります。練習する際には、高低変化のみを意識した練習、スピード変化のみを意識した練習など、項目別に練習し、それぞれある程度できるようになってきたら、各項目を組み合わせることが最も効果的な練習方法です。

CHECK

抑揚＝音声表現は、相手に重要な箇所がわかりやすく伝わる極上の伝達スキルです。人前で話すあらゆる場面で使えるように、日頃からの練習が大切です。

COMMUNICATION

伝えるではなく、伝わるが大事！

相手に何かを伝える場合、自分の思いついた言葉の羅列では伝わりません。おしゃべりの延長で、公の場で相手に伝えても伝わる確率は低く、伝わるには伝える順番が大切です。わかりやすく伝えるために、説明する側は筋道を立てた論理的な説明を心がけましょう。

論理的に説明するとは、言い換えれば「順序立てて話をする」ということです。順を追って話すことで、相手が受け入れやすくなります。すなわち論理的な説明は、自分の伝えたいことを整理し、相手により理解してもらえるわかりやすい説明のことです。話す力を高めるには、論理的な思考を兼ね備えておくことが必要です。論理的思考とは、因果関係を整理し順序立てて考えること、あるいはわかりやすく説明することを指します。話すことと考えることは切っても切れない関係で、この後の文章の組み立ては、この2つを意識しながら取り組んでいきましょう。

COMMUNICATION

論理的な説明テクニックを手に入れよう

物事を滞りなく進めるには、様々な場面でどのような相手とも円滑なコミュニケーションを図る会話が求められます。相手との会話のキャッチボールをスムーズに行うためにも話し手になったときに特に意識するポイントは3点あります。

それぞれのポイントは以下の通りです。

1、結論（テーマ）が明確であること。

まず何について話をするのか、結論を決めること。結論を決めることで、話の進む方向が決まり、話す内容の軸がぶれることがありません。

2、順を追って伝えること。

限られた時間の範囲で伝えることは非常に大切です。効率よく伝えるためには、結論、理由を明確にすることに加えて、その流れを整理することです。また主観的な感情を交えてしまうと途端に話が非論理的になってしまいます。必ず事実と説明、所感を分けて伝えましょう。所感は最後にまとめて伝えると効果的です。

3、内容に具体性をもたせること。

相手に説得力をもたせるには、具体的で信ぴょう性のある内容であることが大切です。数字の裏付けがあること。あいまいさを排除すること。以上のことは説得力へと結びつきます。数字やデータを入れるようにするとより説得力が増します。

以上の3つは、発言する側の話の基本であり、論理的な説明ができるための大きな柱です。面接、営業や商談、プレゼン、報・連・相など様々な場面で会話をするときに要点を先に押さえておくと、聞き手はあなたの伝えたいことを理解してくれることでしょう。

一方、論理的な説明が下手な人の特徴は以下の6つです。

1、そもそも内容について知識不足（知ったかぶり）
2、正しい順番でない
3、余計なことを話す
4、細かすぎる
5、聞き手の予備知識の程度を知らない
6、結論がよくわかっていない

解決方法として

話を始める前に、「自分の一番伝えたい主張（結論）は何なのか？」を明確にすること。どのような場面においても、結論を決めて話すことが最も重要です。

また基礎的な日本語力をアップするために以下3つを押さえておきましょう。

①「ボキャブラリー」を増やす。

他人の話を聞く。テレビの報道番組を観る。小説を読む。積極的に会話をする機会をもつ。

②「主語」と「述語」をはっきりさせる。

誰がどうした。と、必要最小限の情報は必ず入れる。

③「助詞」や「接続詞」を正しくつかい、話を展開する。

言葉と言葉を繋ぎ、微妙な意味を肉付けする重要な役割を果たすのが助詞であり、次の文の行き先を示す道標となるものが接続詞です。

CHECK

論理的な説明テクニックを活用して、「伝える」から「伝わる」技を学んでいきましょう。

COMMUNICATION

話す内容を整理するロジックツリー活用方法

説明のテクニックを身につける上で大切なことは、論理的に考える思考の流れを知り、順番に話すことです。論理的に話すとは、伝えたい内容を明確化し、正しい筋道を立てて話すということで、ビジネス上では必須です。上司への報告、会議での発言、お客様への説明等あらゆる場面で話の理解度や信頼度が上がって、相手に納得してもらいやすくなり、今後の対応策や、判断を見誤ることも少なくなります。

例えば、「夏になるとお腹が痛くなる」という説明では「夏になる」ことと「お腹が痛くなる」ことの関連性がわかりません。では、「夏になると頻繁にアイスを食べる→そもそも冷たいものを食べるとお腹を壊しやすい体質である→アイスを食べるとお腹が痛くなる→よってアイスを食べることが多い夏はお腹が痛くなる」と説明があれば、「夏になる」ことと「お腹が痛くなる」ことの因果関係がわかり、納得しやすくなるのではないでしょうか。親しい関係以外、特に仕事上の関係は論理的な説明は必要不可欠です。

それでは、論理的な説明テクニックを身につけるために、続いてはロジックツリーについて説明しましょう。

誰に対して、何について話すのかというコンセプトを明確にし、結論または、イメージ（全体像）を先に伝えることからスタートします。

⑴話の型を活用し、内容を絞り込み組み立てる

「大テーマ」から「中テーマ」へより具体的なテーマに絞ります。テーマをより掘り下げることで、そのあとに続く説明が具体的な文・言葉が活用できます。

⑵結論を意識する

結論から伝えることで、これから何について話が展開されるのか聞き手が予想することができ、集中して聞いてくれます。また発信者にとっても話の着地が明確になり、内容の軸ブレを軽減できます。

「結論」＝本当に伝えたいことは、最初に話す。
結論に至った理由、経緯はそのあとで伝える。
最後に「結論」を繰り返す。

⇩

「結論のサンドイッチ」

(3)「事実」と「所感」を分ける

「事実」＝実際に起こったこと、現実に存在する事柄。
「所感」＝誰かが感じたこと、思ったこと。

説明は、その内容を相手に正しく伝えることが目的です。

何が「事実」で、どこが「所感」かを相手にはっきりわかるように伝えることが必要です。

(4)「ナンバリング」を活用する

「伝えたいテーマ・要点」を分類・階層化し、番号をつけることを「ナンバリング」といいます。

伝えたい項目に「番号をつける」ことです。

話す内容を相手に整理させるのではなく、自分で整理（多くて3つまで）をして説明するように心がけましょう。

(5)「ラベリング」を身につける

説明するために「分類」した内容や項目に題名をつけることを「ラベリング」といいます。

分類した言葉や内容を適切にキーワード化し、それをラベルにすることです。

(6)「順列ルール」を覚える

わかりやすい説明にするために、話の順番を定めた「順列ルール」を頭に入れておきましょう。

一定の規則に沿って順番に説明することで、相手は流れや全体のイメージをつかみやすくなります。

①「空間順列」：横、縦、奥行きの並びで順に説明。
②「大小順列」：「大から小へ」「小から大へ」（金額、面積、重さ、高さ、長さなど）

※①、②は全体イメージを先に伝える。

③「時間順列」：時間の経過する順（先↓後）に説明することで一連の流れを把握しやすくなる。

※③は結論を先に伝える。

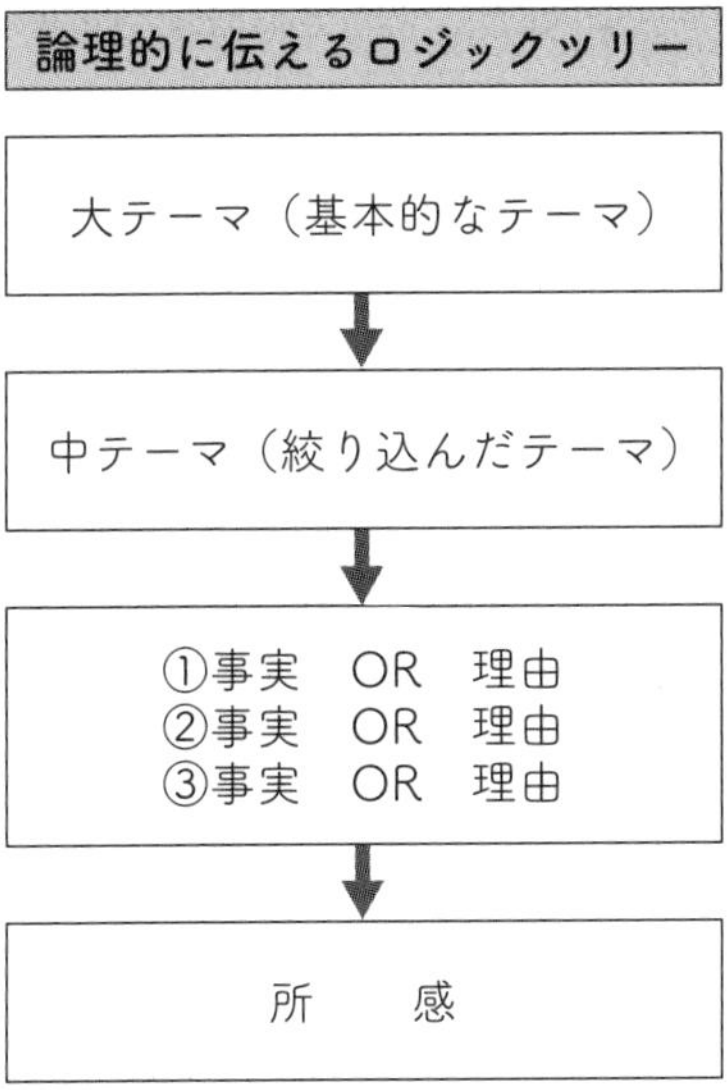

図14　論理的に伝えるロジックツリー

このようにロジックツリーにそって内容を考えていくと、短く・わかりやすく・具体的に話をすることができます。「結論から話す」「伝えたいことを絞る」「理由を明確にする」「所感は切り離して話す」、そしてそれに加えて、流れ（繋がり）を意識して話すことで相手に伝わります。ロジックツリーを活用して、筋道を立てる思考の流れを定着させましょう。

話す内容を整理する習慣ができると、話したいことの焦点が定まっていくのを実感できます。

CHECK

話す内容を整理する習慣ができると、話したいことの焦点が定まっていきます。様々な場面でロジックツリーを活用しましょう！

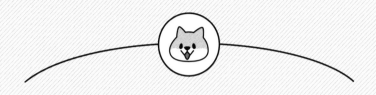

第 5 章

伝え方の極意

COMMUNICATION

伝える技術は人間関係を良好にする手段

自分の伝えたいことをうまく言葉にできないときや、言ったつもりが相手に伝わっていないために誤解された経験はありませんか？

上手く伝わらない原因は、相手ではなく伝える側にあります。コミュニケーションは、自分の伝えたいことが相手に「伝わる」ことで成立するため、「伝える技術」の向上が必要です。伝え方のコツを学び、実践することで円滑な人間関係が築けます。

伝え方のポイント

①何を伝えるかを明確にします。

自分が何を言いたいのかわからなければ、相手にも伝わりません。

伝えたい内容を、話す前に整理する癖をつけましょう。

②結論↓理由↓具体例を短く端的に話します。

相手に自分の言葉を理解してもらうためには、わかりやすく話す必要があります。

初めに結論や全体像を伝えることで、相手が内容をイメージしやすくなります。

③「主語」と「述語」をはっきりさせます。

文章は主語と述語で成り立ちます。主語がなければ、誤解を招きやすく聞き手にストレスを与えてしまいます。普段から主語を意識して話しましょう。

④相手にわかりやすく伝える事を意識します。

相手が理解しやすいようにわかりやすい言葉を選びましょう。内容だけでなく、聞き取りやすい声や滑舌、話すスピードや適度な間なども、重要なポイントです。また、ボキャブラリーや知識を増やす努力も必要です。

「伝える」技術は、公私にわたりあらゆる場面で人間関係を良好にする手段です。自分の伝えたいことが正しく相手に伝わると、コミュニケーションがスムーズになり、相手に期待通りに動いてもらえる可能性も高くなります。

発信には「言葉にする」→「伝える」→「伝わる」といった段階があります。

- **言葉にする：自分の伝えたいことを表現します。**
- **伝える　：伝えたいことを誰かに向けて発信します。**
- **伝わる　：受け手に、発信した内容を正しく受け取ってもらいます。**

「何を伝えるか」はもちろん、「何がどのように伝わったか」ということが重要なポイントです。

「伝わる」伝え方のポイント

①初めに、話のテーマを伝えます。

今から何を伝えるかを明確にすることで、相手は話を聞く準備ができます。不意打ちで話しかけると相手は話を聞き逃してしまい、内容が理解できません。

②一つの文章で伝える内容は一つにします。

「〜で、〜ですが、〜です」のように一文が長いと内容がわかりにくく、聞き手が話についていけなくなります。一つの文章に複数の話題が入らないようシンプルな構成で簡潔に伝えます。

③「事実」と「所感」を分けます。

「事実」＝実際に起こったこと、現実に存在する事柄です。
「所感」＝感じたこと、思ったことです。
話の中に事実と所感が入り混じると内容がわかりにくくなります。何が「事実」でどこが「所感」なのかをはっきりさせる必要があります。

④話の構成の型を活用します。

わかりやすく伝える構成にはいくつかの型があります。伝えたい内容を型に当てはめて伝えると、情報が整理しやすくなり、論理的でわかりやすくなります。

ここからは基本的な型をお伝えします。

結論 → 理由 → 結論

最初に結論を伝えた後、その理由を説明し、最後にもう一度結論に戻ります。

ナンバリングやラベリングを使うと論理的でわかりやすくなります。

●**ナンバリングとは番号をつけることです。**

●**ラベリングとは内容を要約して題名をつけることです。**

ラベリングの後に補足説明をつけると具体的になります。

【事例】

結論
笑うことは健康に良いと言われています。

理由
「笑い」が健康に及ぼす3つの効果を紹介します。

1つ目は、免疫力がアップします。
がん細胞や感染した細胞を死滅させる力がある、ナチュラルキラー細胞が活性化し、病気に対して強い身体ができます。

2つ目は、自律神経のバランスが整います。

交感神経と副交感神経がバランスよく働くため、安定した心身の状態を保つことができます。

3つ目は、脳が活性化します。

記憶や判断力をつかさどる脳の機能が高まり、集中力、記憶力が良くなるため仕事の効率がアップします。

結論

これらの効果により、笑うことは健康に良いと言われています。

このように、型を活用すると、話の軸がぶれずに伝えたい内容を短い時間で確実に伝えることができます。

⑤句読点を意識します。

構成の型を活用して一文を短く伝えても、ダラダラとした話し方では相手に伝わりません。句読点（。や、）を意識して、間を効果的に使います。

CHECK

あなたの仕事を初対面の人に伝えるとしたら、どのように伝えますか？

COMMUNICATION

意思疎通を図る重要な鍵は「聴く力」

コミュニケーションは、「伝える」ことに重点を置きがちですが、相手からのメッセージを受け取ることも重要です。円滑なコミュニケーションのカギは、相手の話に耳を傾け、相手の伝えたいことを正確に理解すること、つまり「聞き上手」になることです。

「聞く」と「聴く」の違い

「聞く」：「物音を聞く」「話し声が聞こえる」のように、音や声などが自然に耳に入ってくることです。

「聴く」：「素敵な演奏を聴く」「講義を聴く」など、積極的に意識して耳を傾けることです。

相手の話に耳を傾け、内容をしっかりと受け止めるためには、「聞く」ではなく「聴く」ことが大切です。相手が気持ちよく話すことができるように、自分が聴く態勢を整えることも必要です。

アクティブリスニング（積極的傾聴）とは

相手の話に耳を傾け、その言葉の中にある事実や感情を、積極的につかもうとする聴き方です。アメリカの臨床心理学者カール・ロジャースが提唱したカウンセリングにおけるコミュニケーション技法の一つです。現在はビジネスシーンで、上司から部下へのコミュニケーション手段として活用される事例が増えています。

アクティブリスニングには、言語的（バーバル）コミュニケーションと、非言語的（ノンバーバル）コミュニケーションがあります。

①言語的コミュニケーション（バーバルコミュニケーション）

言葉のやりとりで話を聴く方法です。

⑴共感します。

アクティブリスニングにおいて「共感」とは「傾聴の姿勢」です。どのような感情を理解してほしいのかという視点で聞きます。

相手の立場や目線に立って、「大変だったね」「つらいね」といった共感を示すことで「自分の気持ちを理解してくれている」という安心感を与えます。

(2)相づちを打ちます。

うなずきや相づちは「聴いています」というサインです。「なるほど」「そうなんだ」など、相づちを打ちながら聴こうとする姿勢を行動で示すと、相手は安心して話すことができます。「うんうん」と深くうなずくだけでも効果的です。

ただし、同じパターンの単調な相づちばかりだと「自分の話に興味がないのでは」といった不安を与えやすいので、工夫が必要です。

●相づちのフレーズ

肯定：　なるほど・そうだったのですね・そのとおりですね・さすがです
感嘆：　それは知りませんでした。お見事ですね
展開：　それでどうなったのですか？・その先を教えてください

(3)オウム返しをします。

相手が言った言葉をそのまま繰り返すことです。オウム返しをすることで、「ちゃんと話を聞いてくれている」「親身になってくれている」といった印象を与えます。

「営業先の担当者が全然話を聞き入れようとしてくれない。」

と相手が話した場合は、

「全然聞き入れようとしてくれないのですね。」

と相手の言葉をそのまま繰り返します。

「そうそう、あそこの担当者は、全く話を聞き入れようとしませんね。以前私も……」

というように、相手の話を奪って自分の話をしないように気をつけます。

また、感情の部分をそのまま返すと、自分の感情を聞き手が受け取ってくれたという安心感を与えます。

「仕事でお客さんに迷惑をかけてしまって、すごくつらかったです。」

と相手が話した場合は
「それはつらかったですね……」
と感情の部分をそのまま返します。

相手が傷つく内容はそのままオウム返しをせず、言葉を変えて伝えます。

「上司からお前は全然仕事ができない奴だと言われました。」

この場合、「全然仕事ができないと言われたのですね。」というオウム返しを、「上司からそのようなことを言われたのですね。」と言い換えたほうが、相手が不快な思いをせず会話がスムーズです。

相手の語尾（エンドエコー）や、大切な言葉（ワードエコー）、相手の否定的な言葉を肯定的な言葉に変える（ポジティブエコー）など、場面に応じて使い分けるとよいでしょう。

(4)途中で話をさえぎらず最後まで聞きます。

相手の話が長くなったり、話の途中で展開が予測できても、意見をはさんだり自分の考えをまとめないようにします。主役はあくまで話し手です。

(5)相手の話を否定しないように気をつけます。

話の内容に共感できない場合や反対意見であっても、いったんは「なるほど」と肯定で受け止めます。頭ごなしの否定は、不快感を与え、強い反発を生む可能性があります。

アクティブリスニングと共にオープンクエスチョンも重要です。

オープンクエスチョンとは、相手が答える範囲を制限せず自由に答えてもらう質問です。

相手から多くの情報を引き出すときに有効です。

質問は、聞き手が興味を持って話を聞いている印象を与えるだけでなく、相手の発した言葉の中から、次の会話へ繋げる単語を見つけて、さらに広く深く会話を発展させることができます。話の内容を掘り下げることで、相手の話をさらに引き出し膨らませることができます。

②非言語的コミュニケーション（ノンバーバルコミュニケーション）

態度やしぐさ、表情等言葉以外で話を聴く方法です。

(1)姿勢や体勢を整えます。

姿勢を正し、リラックスした状態で話し手に身体を向けて会話をします。聞き手がリラックスしていると、相手もリラックスして話すことができます。肘をつくとだらしなく不誠実な印象、腕や足を組み、椅子にのけぞった姿勢は威圧的な印象を与えます。時計をチラチラ見て時間を気にする、スマホをいじりながら話を聞くなど、ほんの些細なことでも相手は気持ちよく話せません。

距離感は、近すぎず離れすぎず、互いに居心地の良い空間を保ちます。コミュニケーションに適した対人との距離(パーソナルスペース)には、個人差があるため、相手の表情が読みとれる距離、手を伸ばせば届く距離を目安にするとよいでしょう。

人の話す位置は相手から見て正面か斜め前がよいといわれています。

(2)表情を意識します。

基本は笑顔で、相手の表情に合わせるように、気持ちを汲み取ろうとする姿勢を見せます。例えば、相手が悲しい話をしていたら、自分も悲しい表情で聞きます。

演技ではなく、相手の感情を受け取った結果として、自分の表情に自然に表れると、相手は安心して話をすることができます。

(3)視線を合わせます。

視線を合わせると、心理的な距離を縮め、信頼関係の構築に大きな効果があります。

話し言葉からだけでは得られない情報をキャッチすることで信頼感が生まれます。ただし、じっと見つめ続けるのは相手に不安感を与えるのでNGです。

コミュニケーションが円滑になれば、相手と良好な信頼関係を築くことができます。「目的達成のために良好な関係を築く」「説明をして理解を図る」「説得して相手を動かす」ためには、「聴く力」が必要不可欠で、意思疎通を図る上で重要なカギを握ります。

CHECK

相手の話がポジティブな場合とネガティブな場合、どんな共感の言葉があるか、各々5つずつあげてみましょう。

（例）ポジティブ「いいですね」、ネガティブ「困りましたね」

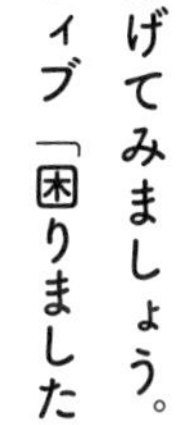

COMMUNICATION

円滑なコミュニケーションは「質問力」にある

会話は「伝える」ことと「聞く」ことで成り立ち、お互いのやりとりの中で「質問」が交わされます。「きく」には、「聞く」「聴く」「訊く」の3種類があり、「質問」は「訊く」に該当します。

●聞く（HEAR）
音や声などが自然に耳に入ってくることです。

●聴く（LISTEN）
積極的に意識して耳を傾けることです。

●訊く（ASK・QUESTION）
尋ねる・質問するなど、自分の知りたい情報を、相手から引き出すきき方です。

質問は、相手から情報を引き出すだけでなく、人を行動させる手段としても有効です。また、どのような質問をするかで、会話の流れや相手との関係性が変わります。スムーズな会話のキャッチボールで、円滑なコミュニケーションを図るためには、質問力を身につけることが必要です。

質問の効果

(1)情報を引き出すことができます。

わからないことや知りたい情報を得られるので、学びとなり知識が増えます。また、相手の考えや要求を知ることもできるため、問題解決に役立ちます。仕事や交渉に活用し成果を得ることも可能です。

(2)相手との距離を縮めることができます。

相手が「自分に興味を持ってくれている」と感じ、信頼関係を築くことができます。質問をはさむことで会話のやりとりがスムーズになり、円滑なコミュニケーションを図ることができます。

(3)人材育成に役立ちます。

質問をすることで、相手に考えさせ、気づきを与えることができます。それにより、やる気を起こし、自発的に行動するなど、相手をより良い方向に導き、成長させることができます。

質問する上で必要なこと

- 誰に何を質問するのか目的を明確にします。
- 短く簡潔にポイントを押さえて質問します。
- 相手が答えやすい質問を心がけます。
- 相手が考えている間に、質問を追加したりせず答えを待ちます。
- 適切なタイミングを見計らって質問します。

質問の種類

オープンクエスチョンとクローズドクエスチョン

①オープンクエスチョン（拡大質問）

相手が答える範囲を制限せず自由に答えてもらう質問です。

多くの情報を引き出すときに有効です。

意識の中にある、発想や気づきを生み出します。

「どうすれば、業務の効率を上げることができると思いますか？」

「あなたが挑戦したいことは何ですか？」


オープンクエスチョンの基本は5W1Hです。

●WHEN（いつ）：「いつから数字を意識するようになったのですか？」
●WHERE（どこで）：「その商品はどこで仕入れたのですか？」
●WHO（誰）：「そのプロジェクトは誰が中心にすすめますか？」
●WHAT（何、どんな）：「目標達成に重要なポイントは何ですか？」
●WHY（なぜ、どうして）：「なぜ、数字が大切だと考えるのですか？」
●HOW（どのように）：「その商品をどのように売り出しますか？」

場面や状況に合わせて質問をします。

②クローズドクエスチョン（特定質問）

「はい」「いいえ」の二者択一や「A or B or C」の三者択一のように回答範囲を狭く限定した質問です。相手の考えや事実を明確にしたい、早く知りたいときに有効です。話をゴールまで誘導するときにも用います。


「会議の資料はできましたか？」

「訪問のアポイントは、明日の10時ですね」

未来質問と過去質問

①未来質問

未来に焦点を当てる質問です。

「これまでどうでしたか？」という過去の質問に比べ「これからどうしたいですか？」という未来に対する質問の方が前向きな会話になります。

未来を考えることで、自然と過去を振り返ることができます。


「今後、どうしたらよいと思いますか？」

「成功するためには何が必要ですか?」

②過去質問

過去に起こったことに関する質問です。

過去に焦点を当てた質問は、原因を追究し相手を問いただすことになるため、前向きの答えは出にくくなります。

「どうしてこうなったのですか?」

「なぜ、失敗したのですか?」

肯定質問と否定質問

①肯定質問

肯定的な言葉を使い、行動を促す質問です。

できない理由を質問する否定質問に比べ、明るい気持ちで、前向きに物事を捉えやすくなります。

「どのようにしたら売り上げが上がると思いますか？」

「ルールを守るためにはどうしたらよいですか？」

②否定質問

否定的な言葉を使い、理由を問いただす質問です。

自然と相手を疑い、責めるようなネガティブな雰囲気になります。


「なぜ売り上げが伸びないのですか？」

「どうしてルールを守れないのですか？」


意識には、顕在意識（表面意識）と潜在意識（無意識）があります。

●顕在意識：意識することができる部分で、考えたり、判断したり、思い出すといった働きをします。理性や知性は顕在意識です。

●潜在意識：意識することができない部分で、過去の経験などによって無意識のうちに蓄積された価値観、習慣、思い込みから形成され、本当の思いや気持

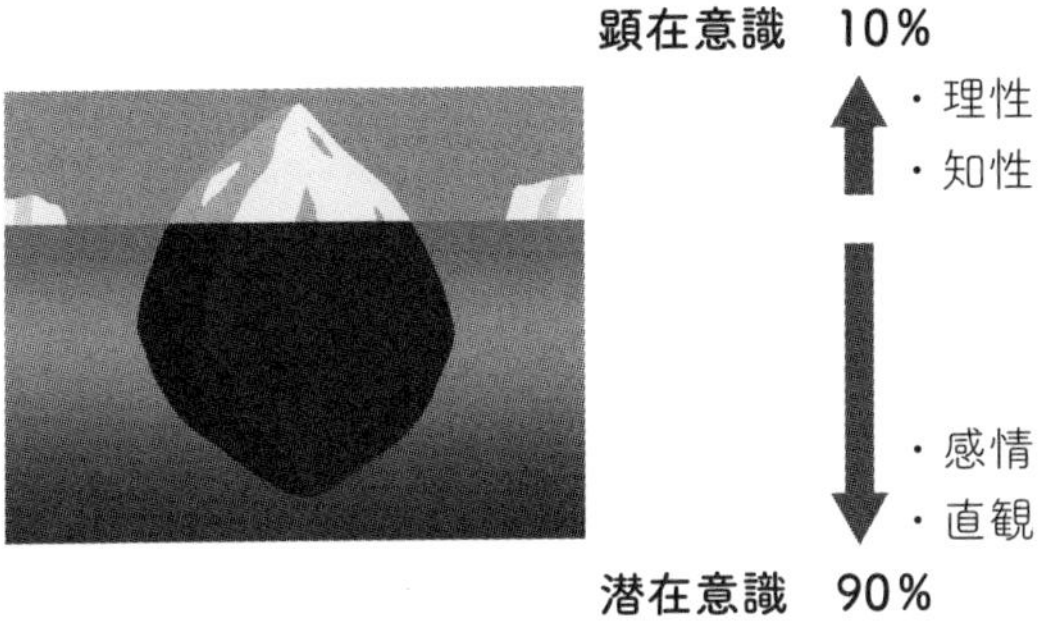

図15　潜在意識と顕在意識

ちが潜んでいます。感情、直観、本能的な欲求は潜在意識です。

これらは、よく「海に浮かんだ氷山」に例えられます。水面から突き出している部分が顕在意識、水面下に隠れている部分が潜在意識です。

潜在意識は全体の約9割を占めていると言われています。

オープンクエスチョンや未来質問、肯定質問は、相手の潜在意識の深い部分に意識を向けることができます。まずは、相手が答えやすいクローズドクエスチョンで、情報を引き出し、そこから焦点を絞って質問を深めていくと、気づきを与え、行動を促し、具体的な対策が明確になります。

「伝える」「聞く」「質問する」のスキルをバランスよく活用するとコミュニケーションが円滑になります。無駄な争いや衝突、誤解を避け、役立つ情報を交換・共有できるよう日常生活で実践していきましょう。

CHECK

自分の仕事の成果を上げるために、自分に質問をしてみましょう。5つあげられますか？
（例）「あなたの壁は何ですか？」

COMMUNICATION

褒めどころを掴んで褒め上手になろう

【褒める・叱る】

日常生活で褒めたり叱ったりする場面があります。「褒め方」や「叱り方」は指導をする上でとても大切です。特に職場では、人間関係や若手社員の成長に大きな影響を与えます。

上司の褒め方や叱り方がうまいと、部下との信頼関係が築け、コミュニケーションが円滑になります。また、部下の自発的行動や成長を促し、組織の成長へと繋げることができます。

【褒める】

私たちは、誰かに褒められると嬉しい気持ちになり、相手のことを好意的に捉える傾向があります。また、モチベーションが上がり、やる気が出ます。「褒めて伸ばす」という言葉があるように、実際に仕事のスキルアップに繋がり、業務の効率が上がります。部下を指導する場面で「褒める」ことは、相手の成長を促し、良い行動を習慣化させる効果があります。

上手な褒め方

(1)プロセス(過程・やり方)を褒めます。

仕事に対する取り組み姿勢を評価します。仕事の経過報告や業務の進捗状況を把握し承認することで、部下は安心して業務を進めることができます。仕事に行き詰まり、悩んでいる場合には、助言を与えながら、それまでの努力や工夫した点を褒めます。上司の評価は、部下にとって「自分のことを見てくれている」と安心感を与え、仕事への意欲を引き出します。

「先週より訪問件数がかなり増えているね。」
「考え方はいいと思うよ。あとは実行するための具体策だね。」

プロセスを褒めるには日々の観察が必要です。

⑵結果を褒めます。

仕事の結果を的確に把握した上で、具体的に褒めます。目標を達成した部下は、上司に仕事の成果をよく理解してほしいものです。部下の報告には熱心に耳を傾け、内容や成果を評価し具体的に褒めます。

「お疲れ様、よく頑張ったね。特にこの資料がわかりやすくて良かったよ。」

褒めるときには結果だけではなく、その人の行動や努力も一緒に褒めると効果的です。

「契約おめでとう。Aさんの丁寧なサポートが契約に繋がったね。」

「褒める」と「おだてる」は違います。部下の性格や能力、その仕事内容を把握せず、何でも褒める上司は、部下から不信感を抱かれ、バカにされます。

第三者が褒めていたと間接的に伝えると、お世辞と受け取られず、喜びも大きくなります。

「この件については、部長もよく頑張ったと褒めていたよ。」

(3)失敗したときも褒めます。

ビジネスでは多くの場合、契約できたかできなかったか、0か100かで評価や判断をされます。失敗も上司が褒めることで、マイナスの状態からプラマイゼロかプラスの状態にもっていくことができます。

「今回は提案の時期が悪かったね。プレゼン内容は完璧だったから、次回またチャレンジしてみよう。」

(4)タイミングよく褒めます。

褒めるに値する行動をした場合は、その場ですぐ褒めます。

褒めることで部下のモチベーションや成果を上げる場合、時間が経った後に褒めても効果は薄くなります。

部下が会議でプレゼンをした場合は、会議の終了直後に褒めます。

「さっきのプレゼンは終始落ち着いていて、内容もとてもわかりやすかったね。」

褒め方は、自分本位で褒めたり、言い方を間違えたりすると逆効果になり、相手に悪影響を与えます。相手の特徴や行動をしっかりと見て、能力を最大限に引き出せるよう効果的に褒めましょう。

CHECK

身近な人を一人思い浮かべて、その人の褒めてあげたいところを20あげてみましょう。

COMMUNICATION

「叱る」ことは育てること

「叱る」とは、社内ルールや社会的常識、基準から外れた行動を戒めたり、業務上のミスや、あるべき一定の水準に達していないことを自覚させたりする行為です。感情的に怒鳴りつけるのは「叱る」ではなく「怒る」です。これはビジネスに不要な感情です。

相手は反省するどころか不信感や反感を持ち逆効果になります。また、職場の雰囲気も悪くなってしまいます。相手の成長を促し、同じ過ちを繰り返さないよう相手のために親身になって叱ることが大切です。

正しい叱り方

(1)事実や行動を叱ります。

叱るときは、行動や出来事に目を向けます。

「資料作りに少し時間がかかりすぎているね。」

郵便はがき

料金受取人払郵便

麹町局
承認

1763

差出有効期間
2022年1月31日
まで

切手はいりません

102-8790

209

（受取人）
東京都千代田区
九段南 1-6-17

毎日新聞出版

営業本部　営業部行

ふりがな	
お名前	
郵便番号	
ご住所	
電話番号	（　　　　）
メールアドレス	

ご購入いただきありがとうございます。

必要事項をご記入のうえ、ご投函ください。皆様からお預かりした個人情報は、小社の今後の出版活動の参考にさせていただきます。それ以外の目的で利用することはありません。

毎日新聞出版　愛読者カード

本書のタイトル「　　　　　　　　　　　　　　　　」

●この本を何でお知りになりましたか。

1. 書店店頭で　　　　　2. ネット書店で

3. 広告を見て（新聞／雑誌名　　　　　　　　　　）

4. 書評を見て（新聞／雑誌名　　　　　　　　　　）

5. 人にすすめられて　　6. テレビ／ラジオで（　　　　　）

7. その他（　　　　　　　　　　　　　　　　　　）

●どこでご購入されましたか。

●ご感想・ご意見など。

上記のご感想・ご意見を宣伝に使わせてくださいますか？

1. 可　　　　　2. 不可　　　　　3. 匿名なら可

職業	性別 男　女	年齢 歳	ご協力、ありがとうございました

叱る前にいったん褒めると効果的です。

「丁寧な仕事をしているね。少し時間がかかりすぎているから、スピードを上げることも考えてみよう。」

価値観や能力など相手の人格を否定してはいけません。

「君のような考え方は全く通用しないよ。」（価値観）

「そんなこともできないのか。」（能力）

主観を入れないように気をつけます。

「やる気がないから期限に間に合わなかったのではないか。」

(2)解決のための具体的な行動を伝えます。

やり方や業務の進め方をきちんと教えていることが前提です。

「資料作りに少し時間がかかりすぎているね。過去の資料を参考にしてみるといいよ。わからない部分は先輩に相談してごらん。」

「もっと急げ」「一生懸命頑張れ」などのあいまいで抽象的な表現で伝えると、人によって抱くイメージが違うため、相手に望む行動をしてもらえない可能性があります。

(3)叱るタイミングと場所を意識します。

その場でその時に直接叱ることが基本です。相手に余裕がない場合は、別の機会にします。タイミングを逃さないように気をつけましょう。

人前で叱ると恥をかかされたと萎縮したり、反感を持ったりする場合があります。ほかの人の前では叱らず、周りの人に聞こえないよう配慮します。

叱るときの心構え

①感情的にならないようにします。

怒りに任せて怒鳴ったりせず、事前に深呼吸するなど気持ちを落ち着かせます。

②他人と比較してはいけません。

「〇〇さんはできるのに、なぜ君はできないのか?」というように、ほかの人と比較する叱り方をしてはいけません。能力や状況は人やタイミングによって異なるからです。人は誰でも自尊心を持ち、人と比較されることを不快に感じるため、別の人を引き合いに出しても何の効果も得られません。

③理由をきちんと説明します。

特に若い世代は、感情論ではなく、なぜそうするべきなのか論理的に説明すると納得します。

④現在の問題に集中します。

「そういえば、あの時の件はどうなっている?」など過去の出来事を持ち出して一緒に叱らないようにします。異なる事象について同時に叱られると、指導内容がわかりにくくなります。

⑤ポイントを絞って手短に伝えます。

くどくどと同じことを繰り返さず、主旨を伝えたらすぐに話を切り上げます。

⑥叱った後はフォローをします。

叱って終わりではなく、その後の様子をよく見て、状況が改善されたら褒めます。

適切なフォローをすることで叱った成果が見えてきます。

最近は、「叱る」という行為に心理的な抵抗を感じたり、部下との関係性の悪化を恐れたりして叱れない上司が増えています。上手に叱ることができると、部下を成長させ、仕事の生産性を上げることができます。

また、正しい叱り方は、信頼関係が確立されていてこそ効果を発揮します。

日頃から、相手のことをよく観察し、コミュニケーションを図りながら信頼関係を築くことが大切です。

CHECK

身近な人で態度や行動を変えてほしい人を一人想像します。その人に変えてほしいことを伝えるとしたら、何と伝えますか？

COMMUNICATION

その気にさせる頼み方

頼む・断る場合は「クッション言葉」を使うと相手に受け入れられやすくなります。

クッション言葉とは、会話の前に添えて、相手に対する「思いやり」や「配慮」を表す言葉でマジックフレーズともいわれます。

クッション言葉の効果

①会話やコミュニケーションをスムーズにします。
②言葉を柔らかく上品な印象にします。
③言いにくい内容も伝えやすくなります。

頼む

「恐れ入れますが」

「もしよろしければ」
「差し支えなければ」
「お手数ですが」

断る

「申し訳ございませんが」
「せっかくですが」
「勝手を申しますが」
「恐縮ですが」

クッション言葉をタイミングよく自然に使いこなしてコミュニケーションを円滑にしましょう。

頼む

頼むときのポイント

①謙虚な態度で

頼む相手が部下や後輩でも、お願いする謙虚な姿勢や言葉遣いが大切です。

②タイミングをみて

頼みたい相手の状況を確認した上で本題を切り出します。

「今、お時間よろしいですか？」

③頼む理由を明確に

「何を」「いつまでに」と内容や期限だけではなく、目的「何のために」や理由「なぜ頼むのか」を明確に伝えると、依頼された相手も協力しやすくなります。

④相手が気持ちよく引き受けてくれる言葉を添えます。

依頼をする場合、心地よく引き受けてもらえるよう相手の気分を乗せることもポイントの一つです。「あなただから頼む」という姿勢は、相手の自尊心をくすぐり、協力してもらえる可能性が高まります。

「○○さんが以前作成した資料が、とてもわかりやすかったのでお願いしたいです。」

依頼をする場合は、クッション言葉＋「～いただけますか？」と疑問形にすると印象が柔らかくなります。

「恐れ入りますが、荷物を運ぶのを手伝っていただけますか？」

依頼をした内容に対して、「その時間に間に合うかどうかわからない」「その作業はやったことがない」などと断られそうになる場合があります。その時は、相手の不安を解消する提案をすると、引き受けてもらいやすくなります。

「締め切りをどのくらい遅らせると、お願いできそうですか？」

「もちろん私もサポートするので、協力していただけませんか？」

依頼を引き受け、実行してくれた相手には必ず感謝の気持ちを伝えましょう。

CHECK

身近な人に依頼をしてみたいことはありませんか？　その時、どのような表現をすればいいでしょうか？

COMMUNICATION

知っておきたい不快にさせない断り方

人間関係において「断る」ことは大変難しく苦手な人が多いようです。断り方次第で相手を納得させることもあれば、怒らせることもあります。相手の「断られた」という印象を最低限に食い止めるためにも、断り方の基本を押さえて対応しましょう。

断るときのポイント

①まず謝ります。

前置きに「申し訳ありません」「恐縮ですが……」と言葉にして謝ります。悪いと思っていることを相手に伝えることが必要です。

②現状（理由）を報告します。

引き受けられない状況を正直に伝えます。理由があることで相手は納得しやすくなります。「忙しいので」といったあいまいな表現ではなく「今日の十八時までに仕上げなくてはいけない仕事があるので」など、具体的に伝えます。

③代案を出し、指示をもらいます。

期限を変えるなどの提案をして相手の判断を待ちます。代案を示すことで相手の理解を得やすくなります。

「明日の午後からなら取り掛かれますが、いかがでしょう?」

「もう少しお時間をいただけますか?」

自分一人でもできることを、親切心で手伝ってくれようとする、いわゆる余計なお世話を断る場合には、「何かあったらご相談します」というフレーズが便利です。頭ごなしに「結構です」と否定せずやんわり断ります。

「ありがとうございます。自分で一度やってみます。何かあったらご相談します」

業務以外でも誘われる機会がたくさんあります。断る場合は、まずは、誘ってもらったことへの感謝の気持ちを伝えた上で、丁寧に事情を説明します。

● 残念な気持ちや感謝を表す言葉

「せっかく声をかけていただいたのに……」

「ぜひ参加したいのですが……」

「本当に残念なのですが……」

誘いを断る場合は、言葉だけではなく、申し訳ない気持ちを表情に出しながら事情を説明し、相手の気分を害さないよう気をつけます。

● 社内でプライベートな誘いを断る場合

「お声をかけていただいてありがとうございます。残念ながら、その日は友人の結婚式でして……」

（残念な気持ちと理由＋代案）

「せっかく誘ってもらったけど参加できないよ。ごめんね。ちょうど資格試験が控えているから、試験が終わってから参加したいな。また誘ってね。」

（「私は……」を主語にしたアイメッセージ）

「誘ってもらえてうれしいな。（私は）行きたいけど、母親の具合が悪いから今回はやめておくね。」

断ることに負担を感じる必要はありませんが、人間関係を円滑にするためには、可能な限り相手とのコミュニケーションを優先することが必要です。

CHECK

過去にうまく断れなかった事例があれば思い出してみましょう。その時、どのように伝えれば良かったと思いますか？

COMMUNICATION

タイプに合った対応方法を知ろう

人には個性があり、性格や行動スタイルは様々です。「人はそれぞれ違う」ということを前提に、性格や捉え方、関わり方の傾向をタイプ別に傾向分類したものが活用されています。

それぞれの特徴を知り、タイプに合った対応を心がけることで、良好な人間関係を築き、円滑に業務を進めることができます。

しかし、タイプは一人一つではないため、どのタイプの傾向が強いかにより、効果的な対応が変わります。

相手のタイプを決めつけて、対応をマニュアル化するためのものではないので、あくまでもコミュニケーションをスムーズにするための参考として活用しましょう。

タイプ	指導法	やる気を引き出す 声のかけ方
指示待ち タイプ	具体的（何を、いつまでに、どの程度など）に仕事の指示を与えます。指示を出したままにせず、進捗状況の確認が必要です。 円滑に仕事を遂行するために、周囲にアドバイスや支援を求めるように伝えます。	細かいチェックと段階的なフィードバックが有効です。 「○○はできていますか？順調に進んでいてさすがですね。」 「ここまではわかりましたか？」
口答え・反論 タイプ	仕事の目的や内容を論理的に説明し、役割分担を明確にします。 組織の一員であるという自覚や、チームに貢献しているという意識を持たせることが大切です。	優越感・満足感を与える言葉が有効です。 「この仕事は君にしかできないよ。」 「君に任せておけば間違いないですね。」
やる気が空回りするタイプ	自身のやり方に固執します。丁寧すぎて効率が悪くなります。 アドバイスを素直に受け止めるよう、効率よく仕事を進める方法や時短のコツを伝えることが大切です。	粘り強さや継続力を認めた上での指導が有効です。 「いつも丁寧な仕事ですね。コツがわかると、さらにスピードアップできますよ。」
やる気が見えないタイプ	能力に合った目標を設定し、成功体験を積み重ねていきます。 小さな目標を段階的に設定することがポイントです。 チームにとって自分は必要な存在であることを実感させます。	存在価値を認め、褒めると有効です。 「君がいてくれて助かりました。次回もお願いします。」

図15　タイプ別指導法とやる気の引き出し方

CHECK

あなたの職場に、４つのタイプにあてはまる部下はいますか？　その部下にどのような声がけをしますか？

COMMUNICATION

効率良い報告・連絡・相談の仕方

仕事をする上で、情報の共有は欠かせません。そのために必要となるのが「報告」「連絡」「相談」です。これを略して「報・連・相」（ホウ・レン・ソウ）といいます。報・連・相を徹底すると、必要な情報を常に把握できるため、仕事を効率よく安心して進めることができます。また、トラブルや問題が発生しても、冷静に対処ができるといったメリットがあります。

「ホウ・レン・ソウ」を実行するには、情報の整理が必要です。まずは、伝えたい内容を明確にし、初めに「結論」、続いて「経過」や「状況」「原因」などを簡潔に伝えます。あいまいな表現は避け、「事実」と「自分の考え」を分けて伝えることが大切です。

報告の基本

①相手に自分の都合を聞いて了承を得て報告します。

「今、お時間よろしいでしょうか。」

②何について報告するのかを明確にして結論から話します。

「○○の件についてご報告いたします。結果は……」

③起こった出来事をありのまま事実を話します。

「納品が遅れた原因は、日程の確認ミスによるものです。」

「たぶん〜」「〜だと思います」などの推測や想像、うわさではなく、事実だけを伝えます。また「一応、終わりました」というようなあいまいな表現も慎みましょう。

④意見は、自分の考えであることを断ってから最後に述べます。

「これはあくまで、私の考えですが……」

ポイント　ミスや嫌な内容ほど早く報告しましょう。

報告の遅れや怠りは、事故や取り返しのつかない大問題に発展する可能性があります。

連絡の基本

①早めにこまめな連絡を心がけます。

「連絡するほどのことでもない」と勝手に判断するのは危険です。細かいことでも確実に伝えます。

②5W3Hを使って正確に伝えます。

- WHEN（いつ、いつまでに）：日程・納期
- WHERE（どこへ、どこで）：場所
- WHO（誰が）：担当者・関係者
- WHAT（何を）：要件の内容・目的
- WHY（なぜ、何のために）：理由
- HOW　TO（どのように）：手段・方法

● HOW MUCH（いくら）：費用・予算
● HOW MANY（このくらい、いくつ）：数量

③口頭、電話、ファックスなど内容や緊急性により適切な手段を選びます。
④本人に直接連絡します。伝言する場合は本人に伝わったか確認します。

ポイント　重要なことは直接本人に伝えましょう。
　　　　　必要な情報は共有しましょう。

相談の基本

①ふさわしい相手を選んで相談します。
②相手の都合を聞き、了承を得て相談します。
「相談をしたいことがあります。お時間をとっていただけないでしょうか。」
③問題と現状を簡潔に説明し、意見を述べ、アドバイスを受けます。
「展示会の件ですが、人員不足により、ご来場のお客様に十分な対応ができない状

況です。私といたしましては、他支店の応援をお願いしたいと考えていますが、いかがでしょうか。」

④相談した相手には結果を報告し、お礼を伝えます。

「先日は、他支店の応援のおかげで、丁寧な接客ができ、売り上げ目標を達成することができました。ありがとうございました。」

ポイント　一人で判断せず早めに相談しましょう。また、すべてを丸投げせず自分なりの答えや対策を用意しましょう。

CHECK

この本を読んで話力の勉強をしたことを上司に伝えるとしたら、どのように伝えますか?

COMMUNICATION

オンラインならではの話力を磨く

新型コロナウイルスの感染拡大の影響で、オンラインでのコミュニケーションが日常のものとなってきました。現在多くの企業がオンラインでの面接やテレワークを実施しています。すでに経験した人もいるのではないでしょうか。

ここではオンラインならではの話力について学んでいきましょう。

対面でのコミュニケーションとの違いについて

対面と違って圧倒的に情報量が少なくなります。声のトーンや空気感、微妙な表情の変化なども伝わりにくいと感じる人が多いようです。また、相手との会話でタイムラグが生じやすいことも違いの一つです。

オンライン面接で十分自分をアピールするには

対面でも同じことが言えますが、対面より、さらにはきはきとしたあいさつ、自己紹介を心がけましょう。画面上で見られていることを意識して、身振り手振りでのジェスチャーを対面のときより大きくすることもひとつの手段です。

タイムラグを考えて、自分が話す前には、ゆっくりすぎるかな、と思うくらい「間」を取ってもいいでしょう。

画面を通すと、話が長いと相手が思いやすい傾向があると言われています。あらかじめ紙に書くなどして、話をまとめておくとさらによいでしょう。

オンライン面接ならではの注意したいこと

対面の面接の場合、スーツや靴などのファッションに特に気を遣うことが普通だったと思います。画面越しでは情報量が少ないからこそ、面接官は背景にも注目しています。自宅で面接を受けるときは、ポスターや家具などが映りこまない環境で面接に臨むことも重要です。

また、上半身しか画面に映らないため、下半身は普段着のまま、という人もいるかもしれません。面接官が立ち上がって一礼することもあります。その時に立ち上がることができないような服装は慎みましょう。

オンラインでの会議、講演、授業等をするときに気をつけたいポイント

オンラインでは情報量が限られる分、わかりやすい発声と、「目線」や「表情」といった「視覚」に訴えるコミュニケーションが重要になります。画面のフレームを意識して、距離感を取ることも重要となります。

特に会議では相手の発言を聞いているときのうなずきを大きくすると、ちゃんと聞いている、ということが伝わりやすくなります。

一方、講演、授業等をする側になるときには、資料に目を落としがちになりますが、しっかりカメラへ目線を合わせることを意識しましょう。マスクをしていることもあるかもしれませんので、その時は、顔の大部分が見えなくならないよう、前髪が目にかからないような髪型にするなどの工夫も必要となります。

対面のときよりもジェスチャーを意識して大きくし、少し大げさなくらいでいいと考えてください。

多くの場合、ホワイトボードなどで資料を提示しながら進めることになると思います。

自分が画面の中央に立ってしまうと、資料を指し示しながらということができませんので、画面の中央に立つのではなく、画面の左右のどちらかに立って話すようにしましょう。

CHECK

オンラインでのコミュニケーションをいち早く身につけよう！

COMMUNICATION

言葉以外のツールを駆使しよう（手話・筆談・SNS・絵・音楽）

この節では耳の聞こえづらい人と会話をするときや音声を出してはいけない場所など、声を使えない場合のコミュニケーションでの「話力」について学びましょう。

手話を用いた伝え方

まず、手話とは何か見てみましょう。

手話とは…ろう者の集団から生まれ、発展してきた「目でみる言葉」です。手や指の形、位置、動きを元に、表情や動作などを使って表現し、目で見て理解します。日本語とは異なった独自の文法を持った視覚言語です。ネイティブサイナー（＊注生まれた時から手話が使われている環境の中で育ち、自然に手話を身につけた手話の母語話者たち）の使う日本手話、日本語を手指動作に置き換えた日本語対応手話、日本手話と日本語対応手話の両方を合わせた中間手話があります。ろう者や耳が聞こえにくい人には、失聴した年齢、生まれ育った環境、手話を獲得・習得した年齢など個々に違いがあります。子どもの頃から手話でコミュニケーションがとれるろう学校や家庭などの環境にいた人もいれば、中学校や高校、大学、もしくは大人になってからろう者の仲間や手話に出会い、手話を学び、身につけた人もいます。また、相手により無意識に使い分けている人も多くいます。これらすべてが手話であり、音声言語である日本語と対等な一つの言語です。（※出典：財団法人 全日本ろうあ連盟「手話言語に関する見解」（２０１８・６・19））より

耳の不自由な方や耳の遠くなった高齢者とのコミュニケーションの手段として、手話を習得しておくとプラスアルファの話力を身につけることができるでしょう。手話にはいわゆる書き言葉にあたる「標準手話」が講演会などのフォーマルな場では使用されています。

一方、方言のような話し言葉にあたる手話もあります。

国際交流が盛んになった結果として、現在は国際会議などで使われる「国際手話」も形成され、会議の場での公用語とされています。

地域の手話講座や、ＮＨＫＥテレの「みんなの手話」などで手話を学ぶことができま

す。敷居が高いわけではないので、ぜひチャレンジしてみましょう。

筆談は単語で簡潔にわかりやすく

手話ができなくても、耳の不自由な人と通じ合える方法「筆談」。紙と筆記具さえあれば、いつでもどこでもやりとりができます。そんな便利な「筆談」、書く方も読む方も負担が少なくなるコツがあります。

①短い言葉（単語）を使う

筆談で話し言葉をそのまま書こうとすると、とても時間がかかります。書く方も読む方も、負担を感じてしまいます。筆談をするときには、短い言葉で伝えることを心がけましょう。単語だけで伝わることなら、単語にしましょう。

例えば駅でなかなか電車が来ないとき、構内アナウンスが聞こえなかった人から「何があったの」と聞かれたとき、「さっき放送がありました。誰か踏切で電車に接触して……」と書くよりも「人身事故、10分遅れ」と書けば早く伝わるでしょう。

「丁寧に伝える気持ち」は、筆談したメモを相手に提示するときの表情や指さしなどで、十分補えるはずです。

②難しい言い回しは避ける

障害のある人の中には、複雑な文章を読むのが苦手な人がいます。できるだけ簡潔な文章を心がけましょう。

よく使われる言い回しも、わかりやすく言い換えると伝わりやすくなります。

例：「ないわけではない」→「ある」、「できなくはない」→「できる」、「知らなくはない」→「知っている」など。

③読みやすい文字で

相手が読みやすい文字になるように、少しだけ丁寧に書くことを心がけましょう。

文字を書くのが苦手なら、スマートフォンやタブレット端末を使ってもいいかもしれません。メールやチャットの画面に文字を入力し見せる方法です。話すだけで文字になる専用のアプリもあります。

考えるだけなら簡単にできそうな気がする筆談ですが、いざ紙とペンを前にすると、躊躇してしまうかもしれません。手間がかかると思ってしまうかもしれません。でも、この少しの手間が、耳が聞こえづらい人とのコミュニケーションの大きな一歩になります。ぜひ、積極的に協力していきたいですね。

SNSは非対面も対面も同じと心得れば大丈夫

現在は多くの人が使うソーシャルネットワーキングサービス（以下SNS）ですが、その登場は私たちのコミュニケーションのありかたに大きな変革をもたらしました。大変便利で、人と人が繋がりやすくなった一方で、非対面でのコミュニケーションの難しさを人々が認識し始めています。

顔が見えないからこそ、相手の状況や表情を対面するとき以上に想像してみましょう。相手の表情や空気感が読めないことが対面のコミュニケーションと違っていることです。それゆえ対面したときには言えないようなこともSNSでは書き込んでしまったり、エスカレートしてしまったりということがいわゆる「炎上」の要因となってしまいます。そうならないために、せっかくなかなか会えない人とコミュニケーションできる場ですから、非対面でも対面したときと同じと心得ましょう。非対面の場合も、相手が目の前にいると想像して言葉を使うことが大切です。

目の前に相手がいるときには批判的なことは言いにくいですよね。非対面のときでも同じです。相手の顔や状況がわからないからといって強い調子で批判的な言葉をぶつけてしまわないように心がけましょう。

その他言葉にたよらない伝え方（絵、写真、音楽）

人はイメージにとらわれやすく、視覚情報がその人の印象の半分以上を決めるという研究結果もあります。言葉だけでは伝わらない場合、絵や写真を使ってみましょう。道を聞かれたときなどは、「この道をまっすぐ行って交差点を右に曲がって……」と説明するより、地図を見せるほうが伝わりやすいことでもわかるでしょう。

聴覚に問題がない場合は、音楽によるコミュニケーションの方法もあります。音楽を聴いているうちに、知らず知らずのうちに身体がリズムに合わせて動いていたり、足や指でリズムを取ったりしていることがあります。

また、ランニングやウオーキングをするとき、ちょっと気分が乗らない、やる気が出ないというときでも、音楽を聴いているうちに身体が快調に動き始めるということもあります。音楽は身体だけでなく心にも大きな影響を与えます。例えば、心地よい音楽を聴いていると心が落ち着く、いらいらしているときでも好きな音楽を聴いたり、歌ったりするとリラックスできることもあります。

　その他にも、落ち込んだ気持ちのときに音楽を聴いて元気になったり、リズミカルな音楽を聴いてやる気を出したり、普段から音楽を毎日の生活に利用している人もいるかもしれませんね。さらに音楽を聴くことで、昔の懐かしいことを思い出すといったことも珍しいことではありません。

　このように、コミュニケーションの手段は言葉だけではありません。相手の状況や伝えたいことに応じて言葉以外のツールを駆使してみましょう。

CHECK

言葉以外のツールにもチャレンジすると対人関係の幅が広がる。

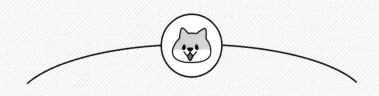

第 6 章

とっておきの声は、
最強のスキル

COMMUNICATION

声に磨きをかけると相手に与える印象が変わる

声は人となり。ここまで読み進んでくださった方は、「声についての奥深さ」を理解し、「声を極める」ことは自分を極めることに繋がることも併せて理解できたのではないでしょうか。まさしく声は人となりを表すものと捉え、この章で日常生活の場面を想定しながら、あらゆる声の表現力を身につけていきましょう。

息の吐き方、口の開け方、基本的な発声から、場面に応じた声の出し方で相手に与える印象が大きく変わります。例えば、面接の場面でハキハキと心地よく響く声で話すと、相手はしっかりと言葉を聞き取ることができ、気持ちも伝わります。このように、好感をもたれる声、聞き取りやすい声で、営業・商談やプレゼンテーション、司会、講義、講演など、場面ごとに落ち着いた「話し方」で対応することができます。つまり、声は説得力や信頼度を高めるための、ビジネス上で欠かせないツール（道具）です。

以上を踏まえ、常に腹式呼吸を意識し筋力を鍛え、無理な発声で声帯を故障させることなく、各々の個性に溢れた響きのある声をつくっていきましょう。声に磨きをかけると、相手に与える印象が大きく変わります。

そしてここで押さえておきたいことは、声づくりとは、喉だけを使って声を出すことではなく、腹からの呼吸（つまり腹式呼吸）と、首や背中などの筋肉もしっかりと使いながら、足先から体全体を使うイメージで声を出すことです。

すなわち、声づくりのためには、身体が楽器である事を知らなくてはいけません。

CHECK

あなたの声は場面に応じていますか？

声を極めるためには、身体すべてが楽器であることを理解して、声づくりに取り組むことが重要です。

COMMUNICATION

音読で表現変化を身につけよう

それでは早速、声の具体的なつくり方について触れていきましょう。

音読と聞いて、まず頭に浮かぶものは何でしょうか？　大抵の方は絵本や物語の、「読み聞かせ」「朗読」と答えます。絵本や物語でなくても、音読とは、「声に出して文章を読むこと」です。

この節では、音読についての解説を踏まえ、内容にふさわしい表現方法を行うためのポイントとは何かを理解します。

音読する上で一番気をつけることは、「内容にふさわしい表現をしているか」ということが問題です。内容にふさわしく音読を行うためには、あらゆるテクニックを駆使する必要があります。ここからは、音読のためのテクニックを伝えます。

少し余談ですが、音読の副産物として、音読を行うことにより、声帯の筋肉が鍛えられ、ハリのある元気な声が出るようになります。その上、脳の働きが活発になり、はっきりとした発音を意識することで、滑舌改善に役立ち、文章の語彙や言い回しを使いこなせるようになり、語彙力の向上に役立ちます。

さらに、その他の効能として音読により、脳の前頭葉の動きが活発になると行動力が上がり、幸せホルモンと呼ばれる「セロトニン」が分泌されてストレス解消になります。そして、唾液が多く分泌され虫歯や風邪ウイルスなどの予防として、「声づくり」以外でも良い影響があります。

音読で気をつけることは、内容にふさわしい表現方法を身につけることです。

例えば、一本調子にならないように、内容にあった音声表現変化をつけていく必要があります。

表現変化の具体的な要素

- 高低表現変化
- スピード表現変化
- 大小強弱表現変化
- トーン表現変化
- 間の取り方

一度にすべての表現変化をつけようとするのでなく、練習する際には、高低表現変化のみを意識した練習、スピード表現変化のみを意識した練習など、項目別に練習することです。そしてある程度の成果が見えてきたら、各々を組み合わせて取り組むことが最も効果的な練習方法です。また、さらに有効な練習法として、録音することをおすすめします。自分の表現変化をチェックする習慣を身につけることで、練習の成果を確認できるのです。

CHECK

音声の表現変化をつけると、内容にふさわしい表現方法を身につけることができます。今日からあなたも声に出して文章を読んでみましょう。

COMMUNICATION

重要な言葉を際立たせるにはコツがある！

キーワード（＝重要な言葉）をプロミネンスする（際立たせる）、つまり重要な言葉を際立たせることです。

あなたが大切だと思う言葉、仕事上で伝えたい言葉を強調するテクニックのことです。

例えるとすれば、ＳＮＳでは文章内の配置位置などにより、キーワードを際立たせますが、話し方の表現法としては、ＳＮＳなどで探すタグ付きのようなものです。文章の中で強調したい箇所や重要だと思う箇所を際立たせる方法のことです。

プロミネンスの方法として

●強く発音することでの強調

●アクセントの高低差での強調
●他の部分より、ゆっくりとしたスピードでの強調
●ワードの前で、間をとることによる強調

例えば、以下の文章があります。
【新郎新婦 の 入場 です】この文章で強調したい部分をプロミネンスします。
「誰が」を強調したい場合は、「新郎新婦」をプロミネンスします。
↓**新郎新婦** の 入場 です
「どうする」を強調したい場合は、「入場」をプロミネンスします。
↓新郎新婦 の **入場** です

このように、強調したい箇所を、強く言う、ゆっくりと言う、間をとる、など場面に応じたプロミネンスの方法で言いたいことや重要なことを際立たせるのです。

この方法は、結婚式の司会はもちろん、ラジオやテレビでの司会、会社でのプレゼンテーション、会議やファシリテーションなどと、場面に応じた使い方で、より、聞き手

の心に響かせることができる話し方の手法です。

CHECK

強調したい箇所を意識して、その効果を感じてみよう。

COMMUNICATION

正しいアクセントで単語の高低変化をつける

高低変化のアクセントとは各単語の中で急峻に変化する基本周波数パターンのことで、単語の意味や方言の違いに関係します。方言での高低変化の違いは一般的にも知られていますが、こちらでは主に単語の意味での高低変化や法則を見ていきましょう。

標準語のアクセントでは、平板型、頭高型、中高型、尾高型の4種類があります。このうち、平板型以外のアクセントを、起伏式とも呼びます。

平板式（ひらいたしき）

● **平板型（ひらいたがた）**

最初の音が低く、助詞も含めそれ以降の音が高くなる。

（例）　お貸し（する）：オカシ（する）

起伏式（きふくしき）

- 頭高型（あたまだかがた）最初の音が高く、それ以降の音が低い。

（例）岡氏（は）：オ／カシ（は）

- 中高型（なかだかがた）最初の音は低く、以降の音が高くなり、単語の終わりまでにまた低くなる。

（例）お菓子（を）：オカ／シ（を）

- 尾高型（おだかがた）最初の音は低く、以降の音は高くなり、後に続く助詞が低くなる。

（例）女（が）：オンナ／（が）

注：（／）以降は、下がるところです。

基本の法則

◆ルール①：標準語では、1音目と2音目との間に必ず音の高低の変化があります。

つまり、頭高型は1音目が高いが、それ以外の型は、必ず2音目が上がり、最初と2番目の音は決して同じものにならないということがあります。

それゆえに、最初の音が高く始まった場合は、次の音で低く下降し、逆に、最初の音が低く始まった場合は、次で高い音に上昇しなければならないのです。

特に、平板型アクセントは注意が必要です。平板式というのは、全くアクセントのない平坦な言い方ではなく、単語内では変化します。

平板型の具体例　サ／クラ・大学（だ／いがく）・フ／ライパン

「桜が咲いている」「大学に行った」「フライパン、買ってきて」などと、言った時と、「サ／クラ」「だ／いがく」と、単語として読んだとき、アクセントが変わっています。

普段の会話からテンションが低い人は、音を平坦化して言ってしまうことがあり、アクセントを勉強している人でさえ油断すると音をすべて同じにしてしまう傾向があります。

それゆえ、常にきちんと人に伝えることを意識してください。

◆ルール②…尾高型以外は、単語の最後の音と次につながる助詞の音は、同じです。

単語単体では平板型と尾高型の間での区別はつきませんが、後に続く不変化詞の音が下がるか上がったままかでそれぞれ区別することが可能になります。

「尾高」という言葉から、【単語の一番後の音が上がる】と認識することは間違いです

尾高型アクセントの場合は、助詞が、単語の最後の音より下がって付きます。

つまり、「助詞から見たら単語の尾の部分が上がったままに見える」

……だから、「尾高」なのです。

では、具体的に見ていきます。【端・箸・橋】のアクセントの違いです。

●端っこを意味する【端】は、平板型です。【はし】を…折る

【は】より【し】が上がります。その上、助詞の（を）が、「はし」の「し」の音と同じ高さです。

- **食事のときに使う【箸】は、頭高型です。【は／し】を…持つ**

【は】より【し】が下がります。その上、助詞の（を）が、「は／し」の「し」の下がった音と同じ高さです。

- **川にかかる【橋】は、尾高型です。【は／し】／を…渡る**

【は】より【し】が上がり、なおかつ助詞の（を）が「は／し」の「し」より低い状態です。

◆ルール③…一つの単語には音の下降は一度しか起こりません。

それゆえに、単語の最初の音が高い音で始まると、2番目の音で低い音に下降し二度と上昇しません。

一度音が下がるのは、頭高型と中高型です。長い単語でも、一度音が下降すると、その単語内で音が上昇することはありません。

平板型と尾高型は、上がったままです（尾高型の音が下降するのは助詞であって、単語内の音は上昇したままなのです）。

この高低のトレーニング方法として、言葉に音階の「ド（130ヘルツ）」と「ミ（164ヘルツ）」を当てはめていく方法があります。低い音を「ド」、高い音を「ミ」とするのです。

当てはめられない言葉がある場合、「日本語発音アクセント辞典」で確認してみましょう。そしてこの2つの音階を意識して発音してみると身につきます。

「正しいアクセントを意識的に聞いて、正しいアクセントで意識的に話すこと」がアクセントの法則を身につける術なのです。

CHECK

早速、正しいアクセントで話してみよう。

型		例	読み方
平板式	平板型（ひらいたがた） ※助詞がついたとき、名詞の語尾の後の助詞の音も下がらない。	お貸し（する）	オカシ￣（スル）
		端を…折る	ハシ￣（ヲ）…折る
		桜（が）	サクラ￣（ガ゜）
起伏式	頭高型（あたまだかがた）	岡氏（は）	オ＼カシ（ハ）
		箸を…持つ	ハ＼シ（ヲ）…持つ
		パンダ	パ＼ンダ
	中高型（なかだかがた）	お菓子（を）	オカ＼シ（ヲ）
		それとなく	ソレトナ＼ク
		面白い	オモシロ＼イ
		一昨昨日	サキオトト＼イ
		匂い	ニオ＼イ
	尾高型（おだかがた） ※助詞がついた時、名詞の語尾の後の助詞の音が下がる。	女（が）	オンナ＼（ガ）
		橋を…渡る	ハシ＼（ヲ）…渡る
		雪が	ユキ＼（ガ）

注：記号音の下がり目の位置を示す記号「＼」と、下がり目がない場合（＝平板型）に語末につける記号「￣」を採用しました。

図16　平板式、起伏式

COMMUNICATION

スピードに変化を持たせると巻き込み力が上がる！

ここからは、言葉を「ゆっくり言う、早く言う」スピードについて、言葉の伝わり方を考察していきます。

プレゼンテーションやスピーチは、スピードの緩急を持たせることにより、聞き手に伝わる熱量が変化します。なかでも、プレゼンテーションの導入では、よりスピードに緩急を持たせることで巻き込み力が上がります。

例えば、メトロノーム（音楽のテンポを客観的に示す器具）のように一定のスピードで相手から話されるとどう思いますか？

たちまち飽きがきて、聞いているようで何か違うことを考えてしまいませんか？

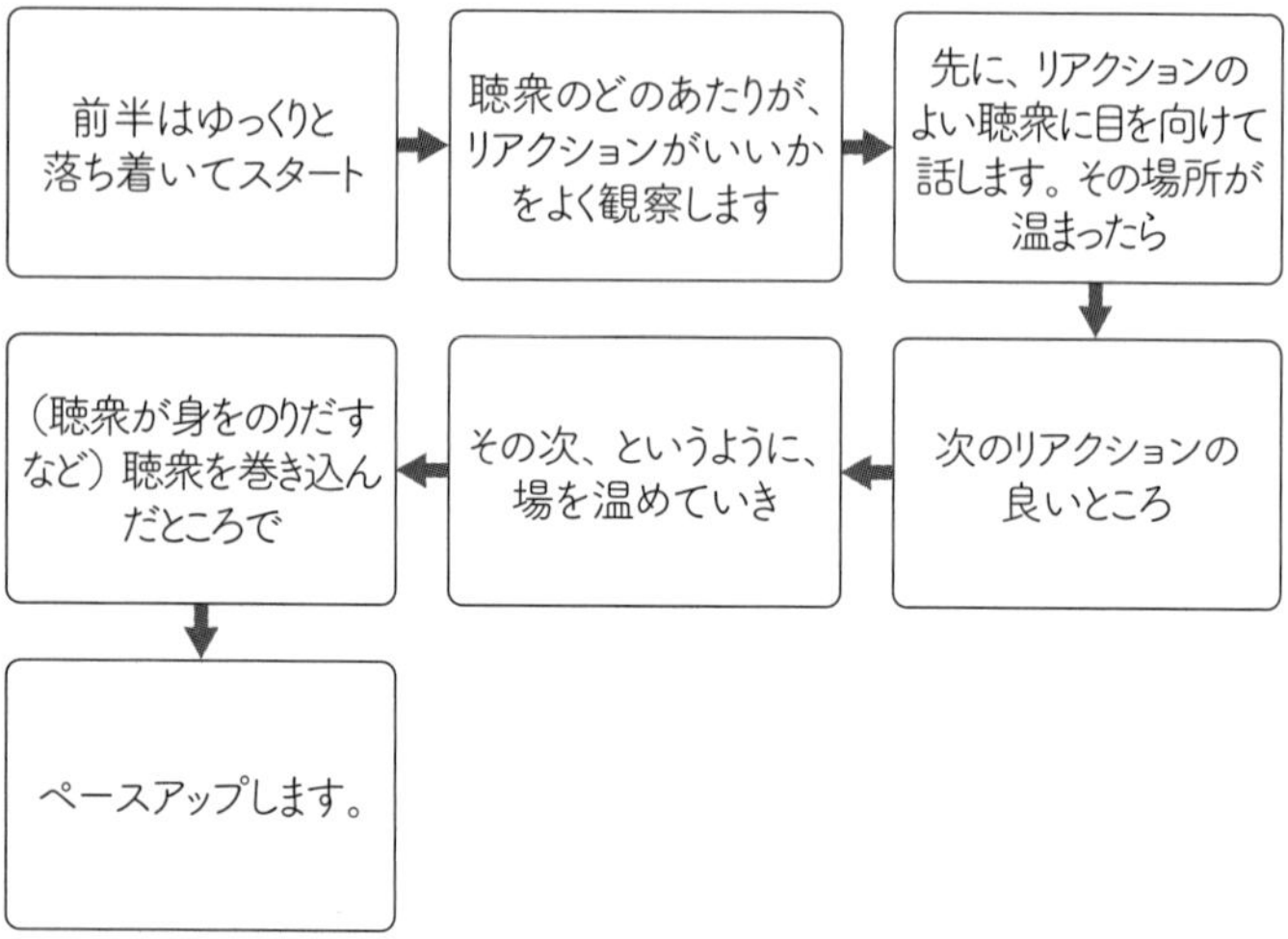

図17　プレゼンテーションや講義の進め方

このように一定のスピードで話すより、スピードに変化をつけることで聞き手の集中力が維持できます。

その結果、話し手の熱量に巻き込まれていくのです。

上記の図にプレゼンテーションや講義などの進め方の一例を示しました。

聴衆を巻き込むことがポイントです。つまり、場の空気（雰囲気）の温めはとても重要です。

聴衆の意識をグーッと引っぱり上げて、ペースを最高潮に持っていき、なおかつ、しんみりとした雰囲気で聞かせたいときにはゆっくり口調に戻す。

例えるならば、一曲の歌に、イントロ・サビでリズムに違いを持たせることに繋がります。

CHECK

スピードの緩急を持たせることでテンポが良く、巻き込み力が上がり、聞き手に伝わる熱量が倍増します！

COMMUNICATION

大小強弱変化でメリハリをつけよう！

　イントネーションの強度は、文章や単語の強弱を表すものであり、メリハリのことを指します。単語などの強度が強くなったり、弱くなったりすることで、話し手の内容の印象は大きく変化します。メリハリをつけると、話し方の中で注目させたい文や単語を聞き手に指し示すことができるのです。

　強調するための手段は様々あります。簡単なのは声の大小による印象変化です。声を大きくしたり小さくしたりすることは、ジェスチャーなどにも引けを取らない個性的な表現なのです。

　文書を作成するときには、強調部分は、書体の変化、文字の大小による変化などで強調を表します。

「**本日新発売の商品**のご紹介です」「他社の商品に比べ、**2割安く**なっております」という具合です。話す際も、同じように声の大きさを変えてみることです。

例文	強調箇所	印象
私はあなたが好きです。	私	
	あなた	
	好き	
大変お待たせいたしました。新郎新婦の入場です。	お待たせ	
	新郎新婦	
	入場	
桜前線の北上により、日本各地ではお花見日和となるでしょう。	桜前線	
	日本各地	
	お花見	
本日のゲストは大河ドラマなどで活躍の小栗淳さんです。	ゲスト	
	大河ドラマ	
	小栗淳	

図18　考えてみましょう

一例として、ラジオやテレビのパーソナリティーをイメージします。

【本日のゲストは渡辺さんです。どうぞ、お入りください】という例文を考えてみます。

すべての言葉を均等に伝えると、ただの連絡事項になります。メリハリがないと大切な箇所が印象に残りにくいことがわかります。そこで、強調部分を変化させてみることにより、意味が微妙に変わるのです。

「**本日のゲスト**は渡辺さんです。どうぞ、お入りください」と「本日のゲスト」を強調して言うと、今日のこの日のゲストは誰かとワクワク感が強調されます。

次に、「本日のゲストは**渡辺さん**です。どうぞ、お入りください」と、「渡辺さん」を強調して言うとどうでしょうか？　他の誰でもない「渡辺さん」と、唯一無二の特別感が強調されます。

さらに「本日のゲストは渡辺さんです。どうぞ、**お入りください**」と「お入りくださ い」を強調して言うとどうでしょうか？

「招き入れる」ことを促すことにより、歓迎の意を表しているのです。

強調するテクニックは、実は声を大きくする方法だけではありません。

もちろん、「渡辺さん」の部分を大きな声で強調することも可能ですが、これとは反対に、あえて小さな声を使って強調することもできます。

この場合、「本日のゲスト」を小声にするのです。強調したい部分の直前の言葉を小さくすることで、「ここだけの話」のような特別感を表現することができます。

CHECK

声の大小強弱の変化をつけてメリハリある話し方を身につけましょう！

COMMUNICATION

相手を飽きさせない声のトーン変化

トーンとは、音の高低にあたります。音の高低の変化を「トーン変化」と呼ぶのです。

トーンを変えるとどのような現象が起こるか、考えていきましょう。

例えば、高い音、高いテンションは、活気にあふれ、緊張が高まるため、人からの注目をあびます。

一方で、低い音、低いテンションは、人に安心やゆったりした感覚を与えます。

高いテンションが続くと人は疲れてしまい、低いテンションが続くと、間延びして、飽きてしまい、話を聞いてくれないという現象が起こります。この使い分けは大変、重要事項です。このように、トーンを意識することをおすすめします。

特に、表情が見えない電話での声は、高い声でごまかすのではなく、作為のない、リラックスした自然の笑顔で話すと良いでしょう。笑声《えごえ》は、相手に好印象を与えます。

しかし、無理に口角を上げて話すと、頬の筋肉まで上がります。顔の筋肉は首の筋肉

音階	周波数【Hz】
ド	130.815
レ	146.835
ミ	164.82
ファ	174.62
ソ	196
ラ	220
シ	246.94
ド	261.63
レ	293.67
ミ	329.63
ファ	349.23
ソ	392
ラ	440
シ	493.88
ド	523.23

図19　周波数

等とも繋がっているため、首全体の筋肉も上がり、喉が引っ張られ疲れる結果となります。

練習法として、

(1)普段のトーンをドの音（130・8ヘルツ）として、ド・レ・ミ〜と発声します。
　高音の人は、ソ・ラ・シ〜。

(2)ミ（164・8ヘルツ）のトーンを覚えます。高音の人は、シ（246・9ヘルツ）のトーン。

(3)ミの音で、発声します。高音の人は、シの音で発声する。

- おはようございます。
- いつもお世話になっております。
- お電話ありがとうございました。

☆語尾のトーンを下げることと、疑問系のときなどに語尾を上げて話すこと、このふたつをはっきりと使い分けましょう。

☆語頭・語尾の強弱をコントロールします。

基本周波数パターンは様々な情報を持っており、言葉に勝るとも劣らないくらい音声コミュニケーションにおいて大きな役割を果たしています。

しかし、あくまでも、一つの目安として考え、自分が一番リラックスできる、声帯に負担のない音の高さ、周波数で発声練習をしてください。

CHECK

声のトーンで場面に沿った話し方が可能になります。一人何役も演じられるほどの話力の代表的なワザ。

COMMUNICATION

話力の上級者は間の使い方が上手い

「間が大切」。お笑い番組やバラエティーなどでよく耳にするので、「間」の認識も進んできました。話し方でも、「間」はとても大切なもので、言葉を際立たせるだけでなく、有効な「間」は相手に考える時間も与えるので、より自分自身の思いを伝えるために必要です。

「間」とは、話の中でのテンポです。一瞬や数秒置く、「間」が、話し方の明暗を分けると言われています。

まず、「間」の種類について知ることが重要です。「間」の長さの変化によって、聞き手への伝わり方を操作することができます。

まず、時計を持って、「間」の長さを体感することが重要です。1・2秒、3秒、5秒を計ってみましょう。特に、5秒の「間」の長さに不安を感じる方が多い傾向にあります。

①短い「間」(長さ1・2秒)

急いで息を吸うほどの「間」の長さです。こちらが緊張していないことを聞き手に感じさせたいときは、短い「間」を使います。

1対1で話しているときだけでなく、大勢の前でのスピーチで一人一人に語りかけているように聞かせたいときにも効果的です。1・2秒と比較的短いので「間」初心者でも実践できます。

②標準の「間」(長さ3秒以上)

標準の長さの「間」。3秒というのは、話し手の言葉が相手の耳から脳へ届くまでの時間です。

実際に3秒の「間」を取ってみると、話し手にとっては想像した以上に長い時間に感じます。だからといって短い「間」を使ってしまうと、聞き手が思考を深めることができないまま、話が通り過ぎてしまいます。

聞き手に考えてもらいたい場（謝罪する、叱る、褒める、励ます、感謝する）で用いると効果的です。

③長い「間」（長さ5秒以上）

「間」として、上級者向けです。聞き手からの注目を集めたいときに用いると効果的です。

例えば壇上に立った場合、すぐに話を始めるのではなく、聞き手の喧騒がおさまるまで、無言で会場を見渡す。この動作で、聞き手は他人との雑談やスマホ操作をすることを止め、壇上の話し手に視線を向け始めます。場の空気が落ち着き、聞き手が聴く姿勢ができた状態で、おもむろに話を始めるのです。

このように、「間」の使い分けができると、自由自在に聞き手を巻き込むこともできるのです。

初めは、「間」の無音の時間が怖いため、矢継ぎ早に話し続けてしまうかもしれませんが、話し方の中でも「間」は重要項目です。ぜひ、皆さんも無音の「間」を恐れず、使いこなすトレーニングを積むことをおすすめします。

CHECK

最終的にはテンポが一番大事! 話し方の明暗を分ける「間」の取り方を味方につけましょう!

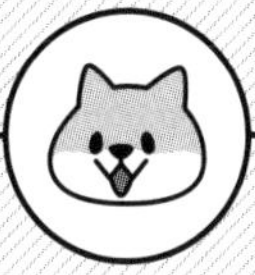

第7章
論理的な思考ができるスピーチライティング

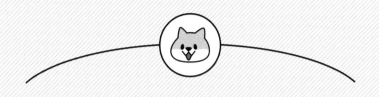

COMMUNICATION

伝える、伝わる、伝わった、スピーチライティングの活用

スピーチライティングと聞いて、皆さんはどう考えますか？

何か難しいテクニックが必要であるように感じられますが、実は頭の中の整理の仕方を知れば誰にでも簡単にまとめることができます。

スピーチライティングとは、つまり自分の考えや複雑な問題を客観的に見つめ、矛盾や飛躍なく筋が通るよう整理し説明することです。「これの次は、これ」「だから次はこうなんだ」のように、まるで、繋がっているヒモをたどっていくかのように順番に考えていく方法です。

筋道の立て方

物事を順番に考え、順を追って伝えることを筋道を立てるといいます。

簡単なやり方として、ロジックツリーの活用で、情報の整理を行い、伝えたい内容を

型に入れ込み、思考の過程を可視化し、話す段取りと伝えたいことをより明確にすることが大切です。

社会に出ると年齢も性別も環境もバラバラの人達と話をしなくてはならない機会が数多くあります。感覚的に話して通用することは、まずありません。考え方が違う人たちに対して何か話をするときは筋道を立てる必要があります。

つまり、筋道を立てるとは、論理的な思考を持つということです。

論理的思考の持ち方、筋道の立て方は以下を参考にしましょう。

①思考状態を書き出す
②必要なことと不必要なことに分ける
③情報を分類してまとめる
④ピンポイントに絞る
⑤不明点があれば調べる
⑥話題は事実に基づいて話す
⑦発言の根拠が明らかであること

⑧相手がわかる言葉で話すこと
⑨あいまいさを極力排除し数値を活用すること

以上、スピーチライティングの留意点です。まずは意識することから心がけ、話し始める前にいったん立ち止まり、右記内容と照らし合わせて努力と経験を重ねてみましょう。

対人関係を円滑に、自分の思いや考えを的確に相手に伝えるテクニックは、言うなれば人生を切り開く武器ともなります。

筋道を立てた思考法

またスピーチライティングをするための思考法として、演繹法《えんえきほう》・帰納法《きのうほう》・弁証法《べんしょうほう》と3つあげられます。

1、演繹法：一般的な考え方と、いくつかの事項を関連付け組み合わせて、一つの結論を見いだす考え方のことです。別名、三段論法ともいいます。

例：①新型コロナウイルスは飛沫感染する。

②あの新型コロナの患者Aは大声でBに向かってしゃべっている。
①＋②　Bはいずれ新型コロナに感染する。

このように一般論と観察事項を関連付けて一つの結論を導き出すことが演繹法です。

つまり、前提条件がいくつかあった中から別の新しい結論を見いだすという考え方です。

2、帰納法：演繹法とは正反対の考え方で、いくつかの既成事実の中に共通している結論を導く思考法です。世の中の統計分析も帰納法を用いて結論を出しています。

例：①新型コロナウイルスの影響で飲食業界が低迷している。
②新型コロナウイルスの影響で旅行業界が低迷している。
③新型コロナウイルスの影響でイベント業界が低迷している。

以上の3つの既成事実から、

「新型コロナウイルスの影響で人々の娯楽が少なくなってきた。」

このように共通点がある場合、他のタイプも同じ性質があると考えることが帰納法です。よって、ある程度の知識をもった上で結論を見いだすための想像力を必要とします。しかし、数が少ないと正しくない結論が導き出されることもあるため、結果の信ぴょう性を高めるためには、多くの数を分析する必要があります。

3、弁証法：対立する意見を統合して、より優れた案を見いだす思考法です。否定や矛盾から新しい高次の考え方・統合案を導き出す考え方のことです。

例えば議論の場で、対立する2つの意見がある場合に二者択一や是か非かどちらか一方を排除する議論ではなく、2つの意見を保ちながら第3のより良い意見へ高めていく考え方です。

例：①国外ではコロナウイルスが蔓延しているので、人の移動を制限すべきだ（正）

②移動制限すると企業活動が停止するので、経済が悪化する（反）

③マスク着用を心がけてコロナウイルスに効く新薬を開発しよう（合）

このように、弁証法は「正→反→合」の思考プロセスで身近な問題解決に有効活用できます。

演繹法・帰納法・弁証法は、スピーチライティングするための基本的な思考法として覚えておきましょう。
この後は以上のことを踏まえて、相手に伝えるメッセージの組み立てのバリエーションについて記述します。

CHECK

まずは頭の中を整理してみよう。

COMMUNICATION

関心を引きたい・印象付けたい場合はSDS法

ここからは、文書構成の組み立て方としてテンプレートをご紹介します。テンプレートは、当てはめるだけで目的に沿った文書の流れができる「文書構成の型」です。

ＳＤＳ法は聞き手が理解しやすく、記憶に残りやすいスピーチの型として活用できます。

Summary：全体の概要
Details　：詳細の説明
Summary：最後に全体のまとめ

例：①話し方は段階的に成長していきます。（全体の概要）
②基本テクニックを習得し、体得するためには場数に挑戦する３つのステップがあ

ります。（詳細の説明）
●報告期：情報収集したものをひとまず報告する時期
●暴走期：とにかく思ったことを伝えてみる時期
●バリエーション期：あらゆるテーマと打ち出し方にチャレンジする時期
③以上のことから、話し方は場数チャレンジしながら段階的な時期を経て成長していきます。（全体のまとめ）

まとめ

1、全体の概要を最初に伝えると、聞き手はその後の展開を予測でき、話を最後まで聞こうとします。また話し手においても話の方向性を明確にでき、横道にそれることが少なくなります。

2、最後に全体のまとめをもう一度伝えることで、何についての話がされているのか要点を整理することができ、聞き手にとって内容をより意識づけることができ、印象に深く残ります。

SDS法は、聴衆の興味・関心を引きたい場合や話の内容を聞き手に印象付けたい場合に役立ちます。

ＳＤＳ法の活用ポイントは、

- 時間…余裕がある
- 重視…ストーリー性
- 適した用途…日記のようなブログ、自己紹介、講演会など

ＳＤＳ法はストーリー重視で、応用しやすく聞きやすいのが特徴です。

CHECK

聴衆の興味・関心を引きたい場合や、話の内容を聞き手に印象付けたい場合に役立ちます。頭の中を整理し、筋が通るように順番に考えてみましょう。

COMMUNICATION

PREP法でより説得力を高めよう

PREP法は、あらゆるビジネスシーンで使われるスピーチや文章の型です。4つの要素の頭文字をとったものです。

結論重視で、一つのことを具体的に伝え説得力を高めることを目的とします。

Point　：結論、要点
Reason　：理由
Example：実例、事例、具体例
Point　：要点・結論を繰り返す

SDS法とPREP法の使い分けは以下の通りです。

SDS法は、伝えたいことを発表する場面に効果的であることに対して、PREP法は、主張の正しさなどをより具体的に訴えたい場合に効果的です。

PREP法を習得すると解消できることを以下に記します。

①会話の構成をうまく組み立てられる。
②相手に順序立てて説明する。
③論破されることなく、議論できる。
④聞き手から「結局何が言いたいの？」と注意されることが少ない。
⑤会話に自信がもてる。

以上のことからPREP法は、ビジネス上の様々な場面で活用できます。
本書で記述する4つの方法の中では一番使い勝手がよく効果的であるため、PREP法についてはより詳しく説明し、場面別の活用事例を記します。

新入社員に仕事の進め方について質問されたとき

●POINT（結論）

若いうちは、営業は質よりも量を重視すべきだと思うよ。

●REASON（理由）

まずは多くのお客様と出会い様々な意見を吸収することが大事だ。

●EXAMPLE（具体例・事例）

もし、質の追求を優先すると、確かに商談トークは今よりも向上すると思う。だけど、お客様像を理解しないまま質を高めようと思っても、シミュレーションの域を出ない。また、お客様の属性やバックグラウンドが変われば、商品に対するニーズも変わる。当然、商談で話す内容や接し方も変わってくる。

●POINT（ポイント・結論）

だから、まずは量を重視した営業を行ったほうがいいと思うよ。

顧客に自社商品の説明を行うとき

●POINT（結論）

この商品のメリットは、お客様が困ったときのアフターフォロー体制が充実していることです。

●REASON（理由）

この商品は、お客様が購入後に使い方がわからず、相談できる人もいないという話をよく聞きます。

●EXAMPLE（具体例・事例）

大きなトラブルになるケースでは、初期設定がうまくできておらず、商品の動作が途中で止まってしまい、仕事に支障をきたしてしまったという話もあります。初期設定をこちらで行うことはもちろん、困ったときに電話をすればすぐに伺えるサービスマンがいると、安心してご利用頂けると思います。

●POINT（ポイント・結論）

そのため、この商品は充実したアフターフォローサービスに力を入れています。

就活面接の場面で長所を答えるとき

●POINT（結論）

私の長所は粘り強いところです。

●REASON（理由）

前職では、売上目標に対してその粘り強さを発揮していました。

●EXAMPLE（具体例・事例）

例えば月末前に目標数字の達成が厳しいときでも、諦めず顧客への接触数にこだわり、既存顧客に商品の案内を続けた結果、月末最終日に目標まで到達できたことが何度もありました。

● POINT（ポイント・結論）

以上のことから、私の長所は粘り強いところです。

まとめ

1. 頭の中で整理してから話す

話が苦手な人や話に説得力のない人は、考えながら話す癖がついています。特にビジネスの場面では、話の正確性が求められ、伝え方が重要です。話す前に、頭の中で自分の主張を整理した上で、言葉にすることを意識しましょう。第一声は結論から話すこと。あなたの考えは「Aなのか、Bなのか」「賛成なのか、反対なのか」をまず結論から伝えましょう。

2. 紙に書いて整理する習慣をつける

慣れないうちは、自分の伝えたいことを紙に書き出して、いったん頭の中を整理しましょう。頭の中だけで考えてもまとまりにくいため、書き出すことをすすめます。

このように思考の整理をする習慣を続ければ、ＰＲＥＰ法を活用できます。

3. 1日3回はPREP法を用いて話す

新しいことに挑戦するとき、実践回数を上げることが上達のカギとなります。職場の上司や同僚と、あるテーマについて討論したり、会議で自分の意見を述べたりするなど、積極的にＰＲＥＰ法を用いて日常的に話すことが大切です。

CHECK

「何を伝えるか」だけでなく、「どのように伝えるか」。PREP法の活用は仕事上での強い武器となります。

COMMUNICATION

提案したい場面にはＤＥＳＣ法

ＤＥＳＣ法は、問題提起をしてからその解決手段まで示すため、提案をする場面に向いています。相手にも自分にもメリットのある提案に最適です。相手に納得してもらいながら、自分の主張を伝えられるため、相手との信頼関係を築きやすくなります。

Describe　：状況を描写する
Express　：問題点を表現する
Suggest　：提案を示す
Consequences：提案の結果（そのメリット）を述べる

〈例題〉

例えば、待ち合わせに連絡がなく相手が遅刻してきて、謝罪等がないシチュエーションがあったとします。イライラして強く言ってしまえば相手が不快になりますし、かといって何も言わなければ、自分の中にモヤモヤがたまってストレスになってしまいます。

このような場合、ＤＥＳＣ法を使って自己主張をするとどうなるでしょうか？

（解答例）

D＝Describe（描写する）「今日遅れてきたよね。」

E＝Express（表現する）「遅れてきて連絡もないと、いつまで待てばいいかわからないし、私は心配になるよ。」

S＝Suggest（提案する）「やっぱり時間通りに来てほしいし、もしも無理そうな場合には、連絡がほしいな。」

C＝Consequences（結果を伝える）「時間通りに来てくれれば、心配しなくてすむし、遅れるときには連絡をくれると、こっちも安心するよ。」

DESC法の注意点①：C（Consequences）から考える。

構成する際には、結論であるC（Consequences）から逆算して組み立てます。その上で、相手に伝えるときはDESCの順に伝えるとよりわかりやすくなります。

DESC法の注意点②：相手を思い通りにしようとしない。

DESC法は、お互いが納得した形で解決することを目的としたものです。決して自分の主張を押し通すことが目的ではありません。DESC法を用いる際は、自分が歩み寄る姿勢を持って、お互いが妥協できる点を探すことが大切です。同時に、相手の拒否権もきちんと認めることが必要です。

DESC法を身につければ、世代や役職を超えて、様々な人とのコミュニケーションを円滑に行うことができるようになります。また、選択肢を広げられるため、相手も前向きに検討することが可能になり、より良い問題解決へと繋げることができます。DESC法を正しく使えば相手との関係を壊さず、自分の依頼を伝える方法として大いに役立つでしょう。

「私は、～したい」といった自己主張をするだけでは、解決に結びつきません。

ＤＥＳＣ法を用いて現実的な譲歩案や妥協案を示すことで、相手に再検討の余地を与えることができ、合理的な解決へと繋げることができます。

結論から伝えるＳＤＳ法やＰＲＥＰ法とは違い、相手の興味や関心を引くことがポイントです。

カウンセリングやコーチングをするときに活用されます。

CHECK

自分の希望を叶えたいときこそ、DESC法を使ってお互いが歩み寄れる会話を進めてみましょう。

COMMUNICATION

反対意見や面倒事はIREP法

最後に、IREP法です。結論から述べると、角がたちやすい場面に便利で、結論より問題点を先に示します。
受け取り手がこちらの意見を素直に聞いてくれやすいというメリットがあります。

Issue　：争点を示す（課題・問題・論争点）
Reason　：理由を伝える
Example：事例を伝える
Point　：結論を示す

結論から話してはいけない場面はビジネス上では多々あります。

相手の意に反する発言や反対意見を述べるとき

相手に何か面倒な頼みごとをするとき
今までとは違う提案を受け入れてもらうとき

このような場合には、結論から伝えてもまずうまくいきません。ですから問題点から始めるＩＲＥＰ法を活用してみましょう。

例：①この仕事は期限までに間に合いますか？
②スケジュール通りに進んでいますが、他に何があるかわかりませんよね。
③以前も突然のイレギュラーが入ってきてバタバタ終わらせました。
④こちらの仕事から終わらせましょう。

CHECK

このようにスピーチやプレゼンテーションだけでなく、毎日の会話の中でも組み立てを考えながら話すと効果的です。

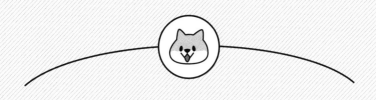

第 8 章

究極の技で、
話力の専門家へ

COMMUNICATION

あの手この手のテクニックが「スピーチ」には詰まっている

前項目で話力のあらゆる技を理解したと想定されるあなたが、より高みを目指すために、この章では話し方を極めて仕事に話力スキルを加えていく方、または今後話すことを生業とする方、すでにされている方に対して、話力の活用法について記述します。

感動を運ぶスピーチには多くのテクニックが潜んでいる。

スピーチとは談話、演説のことであり、自らの主義・主張を伝えることが目的です。言い換えれば自分の思いを人の心に届けることです。また印象に残るスピーチにするには、聞き手の感情を揺さぶる内容が盛り込まれていることが重要です。思いもよらない発見や深い共感など聞き手の感情に訴えかけることが印象に残るスピーチへの一歩です。

相手の心に響くスピーチにするためには、何を伝えるかだけではなく、どう伝えるかの内容組み立ての工夫が必要です。
よってスピーチ内容は、まず全体の流れを先にイメージして組み立てていくことが成功の近道です。

⑴切り出し（導入）聞き手を引き込む
⑵展　開（本編）一番伝えたいこと
⑶結　び（結び）印象に残る結び

⑴切り出し（導入）聞き手を引き込む

始まりが肝心。聞き手の心を引き込む工夫が必要です。
このあと伝える本編に向けて興味を持ってもらう場づくり。

- 話のテーマを明確にし、これから何が始まるか結論・全体像を伝える
- 話の「つかみ」として、質問型、告白型、視覚型、ストーリー型等を活用
- なぜ、この話をするのか背景、前提、理由を伝える

⑵展　開（本編）スピーチのメイン

内容を絞り、深掘りしていくようなイメージで流れを意識します。

聞き手に合わせたわかりやすい言葉で、具体的に映像が浮かぶ話し方の工夫をします。

- 具体例、体験談で、例え話を織り交ぜ、共感を得る
- 強調点、山場でメリハリをつける
- 情景描写を伝え、映像が浮かぶようにする
- 接続詞の活用でテンポ良く展開

「つまり、従って、すなわち、しかし、ところが、一方で……」

(3)結び（印象に残る結び）

- 自分の気持ち、考えを力強く結ぶ

以上が、内容・構成・組み立てで大切なことです。

また聞き手が感動し共感するテクニックは、組み立てと併せて自己表現が大切です。自己表現とは自分の心を開くことで、話し方から表情まで多岐にわたります。伝える場面において、自己表現は相手に安心感という心理的メリットを与え、信頼関係を築けます。

□感情に訴える自己表現テクニック
●声のスピードを変える
●声の強弱を変える
●声の高さ、ボイストーンを変える
●間をふんだんに活用する
●色、明るさを表現する言葉を使う
●擬音を使う「ザーザー、ぽつぽつ　ｅｔｃ。」
●表情の変化をつける
●ジェスチャーで視覚的に訴える

以上、話す技術はメッセージをより効果的に、魅力的に伝えるための支援要素です。
これらを加えて相手に印象に残るスピーチを心がけましょう。

CHECK

何を伝えるかだけではなく、どう伝えるかの内容組み立ての工夫と、自己表現が際立つ話し方！

大きく分けてこの2つが重要です。

COMMUNICATION

人を動かすプレゼンテーションで社会を生き抜こう

プレゼンテーションとは、情報伝達手段の一種であり、情報を提示して相手に理解納得をしてもらうようにするものです。自分の思いを伝え共感を得るスピーチに対して、プレゼンテーションは情報を伝え「相手に動いてもらう」ことを目的とします。相手の要望や課題をしっかりと認識して限られた時間内で簡潔にわかりやすく伝える工夫が必要です。その結果として、相手に意思決定などの具体的な行動をしてもらうことを目的としています。社会で生き抜くには人を動かすプレゼンテーション力を高めていくことが必要不可欠となってきます。

⑴目的を明確にする

①相手の立場・経験・知識・レベルにあった内容であること
②提案内容が相手自身に利益があると判断できる内容であること

③目的を絞る
④理解し、具体的な行動へ移してもらうこと

(2)相手の状況を把握する

①人数
②年齢
③職業・役職
④今までの経験値
⑤興味の度合い

(3)内容の立案

階層図を作り上げる　[構成・柱づくり]
①パーツ（キーワード）を集める
●事実・裏付け・仮説・例え話
※あらゆる角度から、箇条書きでポイントを書き出す
●現状の問題点を洗い出し、分析する

- 相手のメリット、課題解決を書き出す
- 有力なデータ情報を取り入れる

②パーツを決定する

- 絞り込む
- 無駄を省く

③相手にとっての解決案、思いは何なのか掘り下げる

(4)組み立て

①階層図に当てはめて組み立てていく

②ストーリー展開を構成していく

- 簡潔に内容の絞り込み
- 相手に合った話題
- 時間内で話せる話題

(5)全体の流れ

①切り出しと結びの工夫

②接続詞で繋ぐ
③時間配分
④メリハリある伝え方をする
- 要点をスマートにまとめ、それをナンバリングして整理する
- 語尾をはっきり「～です」「～ます」。「～と思う」はＮＧ
- 二人称で話す「あなたは～」
- 聞き手によって使う言葉を適切に選ぶ
- 短いキーワードで、具体的に
- 情熱や感動を込める
- ストーリー性と論理性を盛り込み、話題展開を心がける

※コンセプト：誰に何を伝えるか
①誰が伝えるのか
②誰に伝えるのか（ターゲット）
③何のために伝えるのか（意図、目的をはっきりと）
④何を伝えるのか

CHECK

プレゼンテーションは情報を伝え、相手に動いてもらうことが目的。まさに営業や商談等に活用できるものです。やみくもに話すのではなく、話す前に設計図を作ることから始めましょう。

COMMUNICATION

楽しい・得する・成長するセミナーにするためのコツ

セミナーとは、テーマを設けて行う講習会のことであり、スキルアップや新たな知識を習得する目的で行われ、座学だけでなく、意見交換するなど積極的に参加する勉強の場です。セミナー講師は、専門知識をわかりやすく的確に伝え、相手の時間を有意義（楽しい・得する・成長する）にすることを常に心がけ進めていきましょう。

1、セミナー開催の心得

(1)相手分析　※もっとも重要なのは相手分析

- 予備知識
- 社会経験
- 所属集団の属性

(2)相手への意識度

- 常に目線を合わせ、相手の理解を確認しながら話を進める

(3)相手との距離感

- 笑顔・目配り・ジェスチャーなどで親近感をもってもらい、相手との心の距離を縮めていく

(4)相手を引き込む力

- つかみ、話材、結びのバリエーションを数パターン準備しておき、相手に合わせた内容で話に引き込む

※人に響く言葉は、相手によって違います

(5)内容の立案

- 相手に合った話材を集める
- 事実・体験談
- 例え話

2、か・い・わ（会話）で覚える三原則＝表現の原則

(1)『か』　簡潔に話す　（ダラダラと話さない）

- 内容を絞り込む
- 歯切れよく話す
- 「～で」「～が」という「、」を多用せず、「。」の多い文章にする
- 接続詞を使って、メリハリのある表現を心がける
- 「結論先行」で話す
- 事実と所感に分ける
- 話す側、聞く側、ともに整理しやすい

(2)『い』　印象深く話す　（相手の心に残る話）

- 相手のイメージに訴える
- 情景描写「まるで〇〇のような」など、臨場感のある話し方
- ジェスチャーを取り入れる
- 膨らみをつけて話す
- 例え話・会話形式・擬音語

●気持ちを込めて話す
相手の感情に訴えるよう熱意を持って

(3)『わ』　わかりやすく話す　（アウトラインを明示する）

●分けて話す（相手は理解しやすく、会話がスムーズに進む）
「原因と結果」「全体と部分」「良い例と悪い例」
その他に
時系列、年代順、プライオリティ（優先順位）、過去と現在
●相手の立場になって話す（相手のなぜ?に答える）
「どこまで知っているのか」「どこから説明したらよいか」
●具体的に話す
あいまい、抽象的な言い回しをすると、話の方向が見えなくなる
●ポイント
○相手にわかる言葉
○データ、数値
○間

○アイコンタクト
○質問

3、講師の心得

(1)身だしなみについて
服装　：カジュアルではないもの、基本はジャケット着用
汚れがなく、清潔感が感じられるもの
髪　：色、スタイル
その他：化粧、アクセサリー、メガネ
場の雰囲気に合っているか確認をする。
＊受講者はあなたを講師として見ています！

(2)意識レベルを上げて臨む（講師として意識チェンジ）
●受講者から見られている意識をもつ
①いつも見られている
②目標とされている

③また会いたい！と思っている

●受講者への接し方

①公平に接する

②褒める・認める

③始まり前の雑談

④セミナーに関する話題を自然にふる

⑤問題点、課題点は明確に的確に伝える

⑥問いかけを繰り返し参加型へと導く

⑦返答しやすい雰囲気をつくる

CHECK

専門知識を知っているだけでは聞き手に満足いく内容を伝達することはできません。専門知識とともに伝える技術が重要で、段取りから当日まで入念な準備が成功か、そうでないかを決めます。

COMMUNICATION

聴き手が満足する「講演・講話」

不特定多数の方の前で、一定のテーマに沿って一方的に話すことは同じですが、以下の場面に応じて目的が異なります。

「講演」：多くの人の前である題目について話をすること。
「講話」：多くの人の前である題目についてわかりやすく話をすること。
「演説」：多くの人の前で自分の意見や主張を述べること。
「講義」：人々に学説・書物・物事などの意味や内容を説明すること。
「訓話」：教え導くために話をすること。

ここでは講演・講話を進める上で大切なことに触れていきます。

聞き手を飽きさせないように全体像を十分に把握して、つかみ・導入・事例・問いかけ・体験談をふんだんに取り入れ、話の着地（ゴール）までの流れを意識することが成功のカギとなります。

流れのポイントは、「ロジックツリー・SDS法・PREP法」を参考にします。最初にゴールを明確にしておくこと。内容を詰め込みすぎないこと。すんなり聞ける流れをつくることが成功の近道です。

⑴講師としての心構え

①会場の雰囲気に自分を慣らす（登壇直前準備に時間を要する）
②イメージトレーニングをする（一連の流れをイメージする）
③テーマを絞る（あれもこれもと情報を多くしない）
④内容を盛り上げるネタを仕込む（内容に沿った効果的なスパイス）
⑤自己紹介で聞き手の共感と信頼を得る（テーマの根拠、プライベートの一面）
⑥テーマと聞き手を関連付ける（双方向のやりとり。例：手を上げてもらう等）
⑦ワンセンテンス・ワン方向で見る（一人ひとりに話しているかのように話す）
⑧表現（声・表情）を変化させる（声の出し方と表情で臨場感を出す）
⑨ジェスチャーを効果的に活用する（身体の動きを活用する）

⑩聞き手の注目を最大限にするワンフレーズ（実は……ここからが……一つだけ）
⑪質問を投げかける（要所に問いかけを入れ集中力を持続させる）
⑫感情を込めて伝える（話し手の感情を伝えたときに聞き手は共感する）
⑬物語や引用を使い聞き手の理解度を深める（例え話・名言・ドラマのワンシーン）
⑭ゆっくりと語りかけるように話す（普段よりゆっくりと話す）
⑮難しい言葉は使わない（専門用語や横文字は極力使わない）
⑯プライベートネタを息抜きに絡ませる（一度気持ちをリセットして切り替える）

講話や講演は、長い時間に一人で話を進めていくわけですから、聞き手の反応が気になります。さらに時間通りに終えられるのか、時間の配分はうまくいくのか等も含め、やはり事前の準備は大切です。聴衆にわかりやすく、情景が浮かぶような話が最も喜ばれることとなるでしょう。

CHECK

聞き手が満足する内容に仕上げるためには、事前準備に力を注ぎましょう。組み立て構成は型を活用し、時間配分と流れを意識しましょう。

COMMUNICATION

積極的発言で「ディスカッション力」を身につける

ディスカッションとは「討論」「議論」という意味の言葉で、あるテーマについて参加者が自由に意見を出し合うことを指します。社内会議やチームのミーティング等、様々な場面で行われます。自由に発言し、意見や情報を出し合い協力しながらより良い結論へ導いていくことを指します。

ディスカッションで重要なことは、活発な意見の交換です。異なる意見をぶつけ合い、それぞれの主張を繰り広げていくことで、どの意見が最もテーマや議題に有益かを見極めることを目的としています。

またディスカッションには、幾つかの形式があり、テーマに合わせてそれぞれタイプが選ばれます。

(1)ディスカッションの形式

①問題解決型ディスカッション

会社の会議などで行われるのが問題解決型です。現状の問題点、問題が起こった原因の分析、解決策などを議論し結論を導きます。よって、論理的な思考や具体的なアイディアが必要になります。自分の意見に固執せずに、異なる意見をすり合わせながらより良い結論を導き出そうとする姿勢を意識することがポイントです。

②情報発散型ディスカッション

様々な意見やアイディアを発言し合い、その中からより斬新なアイディアを見いだすことを目的としています。できるだけ多くのアイディアを出すことで、一つのテーマについてあらゆる視点から考え直してみたり、他人のアイディアに付け足してみたりすることで、画期的なアイディアを生み出すことができます。

(2)ディスカッションで注意すべきポイント

①積極的に発言する

議論の場では、参加者がなるべく多くの意見を出すというのが重要です。意見が正しいか正しくないか、良いか悪いかではなく、積極的に発言することが求められます。

②論点を明確にする

聞き手にわかりやすく意見のポイントを明確にします。提案する根拠やそのメリットなど具体的で有益な点を示すことを心がけ、またデータや数字は主張を裏付ける証拠になるため活用しましょう。

③意見をしっかりと聞く

相手の意見を最後まで聞くことが重要です。途中まで聞いて勝手に思い込んだりすると論点がずれたり、情報を共有できなかったりと議論に参加できなくなります。

ディスカッションは、自由な発言の場でなければなりませんが、必ずしも同じ主義主張ばかりではありません。批判することと同時に敬意を表すことも大切です。

CHECK

異なる意見をぶつけ合い、それぞれの主張を繰り広げていくことで、どの意見が最もテーマや議題に有益かを見極めより良い結論を見つけ出しましょう。

COMMUNICATION

新時代のリーダーに求められる「ファシリテーションスキル」

新時代のリーダーに必要な能力として「ファシリテーション」が注目されています。ファシリテーションとは、ファシリテーターが会議やミーティングを効率よく効果的に進むように舵取りをすることを言います。具体的には、参加者の発言を促進し、話の流れを整理して、参加者の相互理解のサポートをしながら結論へ導くことです。集団活動を容易にするためにチームワークを促進し、個人プレーではつくれない成果を生み出す技術です。

複数人の意見を取りまとめるファシリテーターの技術は、これからの時代のリーダーに求められるスキルです。

ファシリテーターとは、参加者一人ひとりの考えや意見、アイディアなどを引き出しながら議論を深め参加者同士の感情をコントロールするなど場の環境を整えます。目的や目標を達成できるように集団をまとめる役割を担っています。

(1) ファシリテーションのメリット

①人材の活性化により、組織の生産性を上げる
②会議の時間短縮
③一人では得られない成果（質・量・効率など）を上げる
④複数人を巻き込み協働を促進させる
⑤チームワークの向上

(2) ファシリテーターに求められるもの

①前向き：前向きな取り組みから肯定的な影響力を発揮する
②オープンマインド：どんな意見でも受け入れ、否定しない
③好奇心：自らどんな成果がつくれるか楽しむ
④客観性：常に中立の立場でいる
⑤目的意識：論点のズレがないか目的を念頭に置く
⑥システム思考：参加者への気づき・思考の促進の役割
⑦行動力：自身が積極的に行動するからこそ周囲に影響を及ぼす
⑧マネジメント：時間・対立意見・モチベーションの管理

⑨俯瞰性　　　：到達点を押さえる整合性の確認

(3) ファシリテーションの流れ

①場づくり（雰囲気づくり共有）

▼

②意見の引き出し（発散）

▼

③整理・収束（論点の取りまとめ）

▼

④合意（決定）

以上のことから、ファシリテーションは会議やミーティングが行われる場面で、複数意見の一致を図り、話を整理し相互理解のサポートを進めながら結論へ導く技法として、今後も組織や団体で取り入れられるでしょう。

CHECK

複数人の取りまとめと、質の高い結論へ繋げる次世代リーダーのスキルとして、多くの場面で活用できます。人の対応と、事柄の進行を同時に行うファシリテーションで組織を取りまとめましょう。

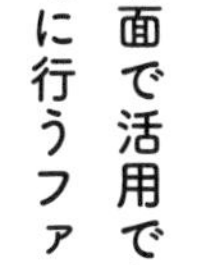

COMMUNICATION

司会の総合力で会の成功が決まる

司会は会を司ること。つまりその役割は、会議、イベント、式典等の大人数を取りまとめ、進行をスムーズに行うことです。昨今ではＭＣ（master of ceremony）ともいわれ、その会の趣旨・目的を十分に把握し、限られた時間内で臨機応変に対応することが求められます。状況を把握した上で「話す力」「聞く力」「質問する力」「仕切る力」、司会の総合力で会の成功が決まります。

⑴成功する司会のポイント

①的確な情報収集（判断材料を多く持ち本番に備える）
②主催者の意図・会の目的を把握（主催者の代弁者として）
③方向性の決定（主催者の意向とすり合わせて）
④安定感ある自己表現（司会に対する安心感）

⑤中立の立場で会を客観視する（常に全体を見渡せるように）
⑥機敏な状況対応（天災・人災・トラブル・イレギュラー対応に備える）
⑦テンポある話し方とアドリブ力（状況によるアドリブで会を盛り上げる）
⑧仮説を立てる癖をもつ（想定内を広げ、リスク管理）
⑨時間管理（追加・割愛）
⑩ＢＧＭとのタイミング（音楽との相乗効果を図る）

(2)司会の事前準備

①主催者との打ち合わせ（日時・会場・規模・参加人数・出演者・内容）
②スケジュール表作成
③余興参加者との打ち合わせ
④主催者の思いをヒアリング
⑤その他確認（ＢＧＭ・料理・装花・演出・備品等）
⑥本番に備えてイメージトレーニングを済ませる
⑦祝電・装花等と当日変更の確認
⑧スタッフ全体打ち合わせで情報共有と共通認識をもつ

CHECK

主催者の情報収集から始まり、当日の他スタッフとのチームワークと、本番までの準備が当日の成功のカギを握っています。あらゆる技術が求められる司会スキルは、知識の習得と共に流れをイメージすることが重要です。

COMMUNICATION

「インタビュー」はコミュニケーションの最上級スキル

質問力を身につけると、コミュニケーション力に磨きがかかり、「情報収集」「相互理解」「疑問の解消」などを可能にします。インタビューする相手に「興味を持ってもらえている」という優越感を抱かせるような、インタビューを心がけましょう。

⑴インタビューをする心構え

①わかりやすい言葉で具体的に質問する
②複数人いる場合は、最初に当てる人を事前にリサーチしておく
③ムードメーカーを把握しておく
④主催者との関係性、相手の属性を調べておく
⑤相手のこだわりや興味と関心ごとを調べておく
⑥参加者が共通・共感・共同を感じる事柄から質問する

⑦時には自己開示しながら答えやすいように質問する
⑧楽しくテンポよく進める
⑨相づちを多く取り、心地よく答えられる雰囲気をつくる
⑩オープンクエスチョン・クローズドクエスチョンを織り交ぜながら、話しやすくする
⑪すべて受けとめ、褒める
⑫相手が興味ありそうな内容を引き出し、深掘りする

⑵アクティブリスニング

相手の言葉のポイントをそのまま繰り返し（反復）質問する方法です。

注意点として、自分の意見と違うからといって「なんで？」「どうして？」と矢継ぎ早に相手に質問をすると、相手を萎縮させてしまいます。

例：Aさん「この企画書わかりにくいですね。」
Bさん「企画書のどこがわかりにくいですか？」
Aさん「グラフと表が対応していないからだね。」

Bさん「なるほどグラフと表が対応していないからwさかりにくいのですね。」
Aさん「表をわかりやすくできないかな？」
Bさん「表がわかりやすくなるよう修正いたします。」

(3)効果的な質問で聞き上手になる

①確認の質問（アクティブリスニングで）
「地下鉄○○線△△駅を降りて一番出口です。」

「地下鉄○○線△△駅を降りて一番出口ですね。」……「ね」が大事！

②具体化の質問（抽象的→具体化：相手に頭で絵を描いてもらう）オープンクエスチョンという
「どんな雰囲気のお店なのですか？」

「壁や天井は真っ白で床が濃い色のフローリングで……雰囲気のいい……」

③誘導・打診型の質問（二者択一法で誘導し、相手に決めさせるのがコツ）クローズドクエスチョンという

「平日と休日とではどちらの都合がよろしいですか?」「平日が……」
「では、今週の10日の金曜日午前中と、翌週15日水曜日の午後とでは……?」

④立場・見方を変える質問(考えを引き出すテクニック)
※まるで第三者の意見のように伝えて、質問すると効果的です。
「先日、弊社のお客様で、ある会社のオーナー様が、この機械について○○のようなご感想を下さいましたが、○○さんだったら、どのようにお考えになりますか?」
「私も、やはり同じように……」or「私だったら……」

このように質問の仕方次第で、相手の返答を効果的に導き出すことができます。

CHECK

傾聴と共に、相手に寄り添った質問を自由に使いこなして、相手からの返答を効果的に導き出しましょう!

COMMUNICATION

バリアフリーな話力を目指す

ここまではコミュニケーションをとるときに言葉や声が大事であることや、言葉の仕組み、使い方などを述べてきました。この節では自分や、自分の身の周り双方またはいずれかに言葉の障害がある場合のコミュニケーションについて考え、学びましょう。障害があってもなくても壁をつくらず関わっていくために、いわば「バリアフリーな話力」を身につける方法を考えていきましょう。

言語障害・吃音

言語障害とは、話す、言葉を聞いて理解する、文字を読む、書くなどに対する障害の総称です。言語障害には、音声、構音（発音）、話し方についての「音声機能の障害」と、表現や理解についての「言語機能の障害」の2種類があります。コミュニケーションにおいて、言葉は欠かせないツールですが、もしそのツールを何らかの障害でうまく活用できない、または活用するにあたり困難が生じたらどうでしょうか。あなたの身の周りに言葉をうまく発することや読み書きをすることに困難を感じている人がいるかもしれません。言葉でのコミュニケーションに不自由を感じる人がいると知ることも、言葉を理解することに繋がるのではないでしょうか。

言語障害の中には吃音と呼ばれるものもあります。吃音とは、言葉が流暢《りゅうちょう》に話せない（非流暢性）状態をいいます。話そうとすると、語音の始めあるいは途中で、発声、構音、呼吸に関係のある器官、例えば喉頭《こうとう》、舌、口唇、横隔膜などにけいれんが起こり、ことばがつかえ、ある音を繰り返したり、引き伸ばしたりする状態が見られます。

自分に言語障害がある場合

前述のような障害がある場合、特に人前で話すことに抵抗がある人も多いでしょう。話す側の自分に、このような障害がある場合でも話力をアップするにはどうすればよいでしょうか。コミュニケーションの手段は、これまで学習してきたように、言葉だけではありません。

表情や身振り手振りのジェスチャーなど、特に小さいころから言語障害があった場合、その人独自の対処法やコミュニケーションスキルを身につけていることもあるでしょう。社会では、障害がある人と関わる機会が多くなく、どのように対応したらいいのか理解が進んでいません。あなたにもし言語障害があるのなら、社会を変えていくためにも、こうした障害への向き合い方も個性のひとつと考え、ぜひ積極的にコミュニケーションを取ってください。そうして、周囲の人たちに教えてあげてください。

自分の身の周りに言語障害がある人がいる場合

言語障害のある人は、聴覚障害はなくても、言葉が理解できない、という状態のこともあります。きっと本人はもどかしさを感じている場合が多いでしょう。不甲斐ない自分に対し、ストレスや孤独を感じているかもしれませんね。

基本は、ゆっくりはっきり話すことです。相手の話を理解しにくい状態の場合には、「これからこういった話をしますよ」と注意を促すひと手間があると一層理解してもらいやすくなります。

このように聴覚だけでなく、触覚、絵や写真、図など視覚、実際の食べ物、植物など嗅覚などを使って話すことも理解しやすくなります。相手の反応がなくても焦らないようにしましょう。すぐに理解できないようなら何度か繰り返す、表現を変えてみるなどの工夫もしてみましょう。

こうして考えると、障害がある人に対する話し方は、障害がない人にもわかりやすい話し方、と言えますね。

言葉はコミュニケーションに欠かせないツールです。しかし、そのツールをうまく活用できない、活用するのに時間がかかる人たちがいます。それを知ること、理解することは吃音を含む言語障害で苦しむ人たちの支えになります。何らかの障害でうまく話すことができなくても、そこに伝えたい思いがあることに変わりはありません。コミュニケーションの方法は「話す」ことだけではありません。

筆談など「書くこと」や「手話」「点字」などの方法もあります。この中で、一番私たちが取り入れやすい筆談について、見てみましょう。筆談は紙と筆記具さえあれば、いつでもどこでもやりとりができます。筆談機という専用のグッズも市販されています。そんな便利な「筆談」をする際により伝わるように次のようなポイントがあります。

1　読みやすい文字で（大きめに）
2　短い言葉で、簡単に
3　日時は具体的に
4　適度に漢字を使う

5　わかりやすい言葉で
6　直接的に、具体的に
7　たとえ話は伝わりにくい
8　敬語を使いすぎない
9　横書きにする（右手で書くとき、縦書きでは書いた文字が手で隠れてしまうので、書き終わるまで見えないからです）
10　アラビア数字（１２３）を使う

そういった方法、テクニックもさることながら、相手の話を理解しよう、聞こうとする「姿勢」や「傾聴力」、「想像力」や「共感力」なども、言葉と同じくらい重要なツールです。吃音などの言語障害があっても、誰もが自由に表現できる広い視点での話力の習得を目指していきましょう。

エピローグ

「話力」1日10分集中講義」本書を手にとっていただき、ありがとうございます。

話力は少しずつ積み上げ練習をしていくと、皆さんの一生ものの財産となります。

繰り返して学ぶと気づきが生まれ意識するようになり、知識を習得すると実践してみたくなる。ここが大切で、まさにインプットとアウトプットの繰り返しです。

更に、自分の話力を試したい、さらに上を目指したいという気持ちがあれば、その機会も準備しています。それが話力検定です。

日本話し方協会が主催する「話力検定」は、およそ10才から社会人までを対象にしています。学生時代から話力を高めておきたい方、学生から社会人になる新卒の方、転職を希望する方、仕事で活用していきたい方、日本で働く外国人の方など、現在の話力がどれくらいあるかと確認をする機会に、また自分の話す力をさらに高めていきたい方たちに受けていただきたいと考えています。

話力検定は、筆記試験と実技試験があり、3級、2級、1級とステップアップしていきます。3級は話力の基本にあたり本書の第1章、第2章の内容で、コミュニケーションの窓口である自己紹介が習得できるようになっています。緊張や不安なく他者と意思疎通を図れ、就職試験、昇給試験などの面接の対応に関する項目が収められています。
　さらには検定試験の級を取得することで履歴書に書くことができ、自分を保証するものにもなります。

　2級は話力の応用にあたり本書の第3章から第5章までの内容です。社会活動の中でも特に仕事をする上で必要なスキルとして、伝達・傾聴を中心に具体的な方法を学びます。営業職、接客業、プレゼンター、経営者、社会人全般の方々が、対外的に話力の効果を期待でき、皆さんの話力に劇的な変化が生まれるようにまとめてあります。

　1級は話力の活用にあたり本書の第6章から第8章までの内容で、話力を味方にして本格的に稼ぐための単元です。話力のプロとなり、人に伝えていくために必要な専門的内容となっています。講師業、アナウンサー、リポーター、司会、プレゼンター、ライターなど様々な業種に対応するため、あらゆる角度から話力を一つの学問として学び深められるように細かく内容を掘り下げることで、話力に精通した専門家の養成を目指しています。

こうして話力の基礎から専門職の活用まで3級から1級の内容を1冊の本にまとまることで、学びたい時にいつでもどこからでも始められるようにしています。

スピーチやセミナーなど必要な時に必要な知識を探しやすく話力の辞書のような構成にして、実用書の役割も果たせるようにしています。

また本書では、場の空気を読むといった言葉は使わず、感覚的なものを全て言語化して説明していることを特徴としています。

検定試験に向けて本書で学び、練習したことでどのくらい自分の話す力が向上したかという結果を確認するもよし、検定を受検しなくても本書を読み進めて自然にステップアップしていくもよし、皆さんの置かれている環境、場面に合わせて本書を活用していただけると幸いです。

話す力は「才能」といった、生まれながらの能力ではなく、スポーツと同じで繰り返し練習することで身につきます。本書の学びと日々の練習で「わかる」ではなく「できる」を体感してみてください。

皆さんにとって、面接・プレゼン・評価査定・パートナー探しなど話す力が必要な大切な場面が生涯にたくさんあります。

また家族や恋人、友人など身近な人との会話やコミュニティーでの普段の会話に潤いがあると生活が豊かになります。

どうか話力が皆さんの生きる力になりますように。

未来へ一歩踏み出す勇気をもって話力を磨き、一人でも多くの方にこの困難な時代を生き抜く力が身につくことを願ってやみません。

2021年5月　渡邉　由規

若林 博子（わかばやし・ひろこ）

■日本話し方協会　認定講師
■日本話し方協会 話力検定審査員
外国人受け入れ企業への新人外国人就労者向け研修を実施する。教育係の講師の育成にも携わる。

岩森 美里（いわもり・みさと）

■国立音楽大学･大学院教授、東京二期会、東京室内歌劇場、日本演奏連盟会員
国立音楽大学、大学院、二期会オペラスタジオ第27期、文化庁オペラ研修所第５期修了。

文化庁派遣芸術家在外研修員としてウィーンへ留学。歌手として舞台出演多数。

野口 敏（のぐち・さとし）

■（株）グッドコミュニケーション代表取締役
■「TALK&トークコミュニケーションスクール」主宰、大阪、東京で講座を開催
関西大学経済学部卒
著書に、シリーズ累計120万部を突破した『誰とでも15分以上 会話がとぎれない！ 話し方66のルール』（すばる舎）をはじめ、『大事なことは３語で伝えなさい短い言葉は心に刺さる』（ＰＨＰ研究所）など多数。
話し方教室ＴＡＬＫ＆トーク　http://www.e-0874.net/

＜執筆者略歴＞

渡邉 由規（わたなべ・ゆき）

■一般社団法人　日本話し方協会　代表理事
■株式会社 SCAi　代表取締役　■渡邉由規話し方教室 代表講師
秘書業務、テレビ・ラジオのリポーター及び式典等の司会など務める。後に独自の話し方プログラムを開発し、渡邉由規話し方教室を開校。企業、学校では「話力スキル」を伝授指導する。
日本話し方協会にて話力検定を推奨し、個人と企業を繋ぎ日本経済の生産性向上に努める。
著書に、『脱！ あがり症』（同文舘出版 ）
株式会社SCAi
渡邉由規話し方教室　https://scai.co.jp/

後藤 佳代（ごとう・かよ）

■日本話し方協会 認定講師
■日本話し方協会 話力検定審査員
話力UPを目指すあらゆる業種の社会人へ伝える力・コミュニケーションスキルを指導。

企業では新人、管理職、OJT研修、マナー接遇を加えた女性研修に携わる。

〈著者紹介〉

一般社団法人　日本話し方協会

（にほんはなしかたきょうかい）

学生から社会人の人材価値を高めることを目的とし、話し方の幅広い知識や技能を総合的かつ相対的に評価する協会。その活動の代表である『話力検定』は、話力レベルの確認はもとより、社会的な評価基準として対外的に強いアピールポイントとなる。ストレスの少ない対人関係を築き、人的ミスを改善し、一人ひとりが生き抜く力と生きる喜びを得て社会生活をより豊かにすることを目指している。

日本話し方協会　話力検定
http://waryokukentei.jp/

「わかる」でなく「できる」になる

話力《わりょく》1日《にち》10分《ぶん》集《しゅう》中《ちゅう》講《こう》義《ぎ》

印　刷　2021年6月15日
発　行　2021年6月30日

著　者　日本《にほん》話《はな》し方《かた》協会《きょうかい》
発行人　小島明日奈
発行所　毎日新聞出版
〒102-0074
東京都千代田区九段南1-6-17 千代田会館5階
営業本部：03（6265）6941
図書第二編集部：03（6265）6746

印刷・製本　光邦

ISBN978-4-620-32688-7